お茶とコミュニケーション

山田貴子
Yamada Takako

風詠社

目次

序 …… 7

第一章　茶についての概説 …… 14

第一節　茶の歴史と現状 …… 14

第二節　文化の一端を担う茶 …… 17

第三節　茶の薬理効果 …… 20

一　お茶と健康 …… 20

二　茶の成分上の特徴 …… 24

三　お茶の嗜好品化 …… 28

第二章　お茶とコミュニケーションについて …… 31

第一節　コミュニケーションとは …… 31

第二節　時間と空間……34
一　茶室……35
二　香り……41
三　交話的機能と冗長性……42
第三節　お茶の諸相……44
一　向精神性……44
二　集いと学芸復興……45
三　茶運人形と心像……46

第三章　文学作品のお茶に関する表現の内容分析と考察……50

第一節　分析方法……50
一　対象文学作品……50
二　要因分析……52
三　お茶の主な飲用要因について……56
第二節　お茶の可能性……74
第三節　茶器のメタファー表現……91

結び …… 100
あとがき …… 106
引用文献・参考文献 …… 108
図表出典一覧 …… 113
添付資料「お茶に関する表現と文脈の読み取り」 …… 114

装幀　２ＤＡＹ

序

背景

年齢を表す言葉に「茶寿」がある。１０８歳の長寿を祝う言葉であり、「茶」という字は「艹」20と「八十八」88からなる１０８という含意による。お茶を日常的に飲むことで１０８歳までも健やかでいられると解釈される。

山下（１９８４）は「お茶は生命の飲み物である。また、お茶には女神theaという副次的な意味がある。」と論述している。つまり、人が生きていくために欠かせない水がお茶として飲用されることで様々な付加価値が生じることを意味すると思われる。

皮日休は、『茶中雑詠』序の冒頭で「爾雅[1]に、檟（か）は苦荼（くと）といい、採みとらないでそのまま飲むのは、どうして聖人が物の働きに純粋であるといえようか、そもそも草木が人を救うというのは、取捨に時期があるからなのだ（吉川・小川、１９７３：３９１）。」と記している。

草木が土から育ち芽生えの様子を表し、そこから人が生まれること、生き生きした状態を意味することばに「生」がある。生の字は草木の若芽の形と土との会意文字である（加藤、１９９９）。要するに、茶が人の命を助けるというのは、茶の宿命であると読み取ることができよう。これを転生と解釈すれば、茶は人であると考えられるのではないだろうか。

『茶中雑詠』は、親友の陸亀蒙に寄せられた詩であり、陸亀蒙も『茶中雑詠』に唱和した『奉和襲美茶具十詠』と題する詩を有する。茶は詩にしたため伝えたいほど貴重な存在なのである。そして、これは唐代におけるお茶を媒介としたコミュニケーションそのものと考えられる。

筆者は、お茶には歴史があり、さらに今も進化し続けていることに魅力を感じている。また、10代のころにカナダのホームステイ先で経験したティータイムの楽しさは、今、振り返るとまさにお茶の時間のコミュニケーションであった。20代の英国旅行ではロンドンやコッツウォルズ地方のティールームでクリームティー[2]を知り、マナーハウスや紅茶の文化に興味を持った。30代でカナダ、イギリスなどでアフタヌーンティーを巡る経験をした際、はじめて出会った異国の観光客とテーブルを囲み、一緒にお茶を飲むことで自然に打ち解け、その時を共有することができたと思われる。

幸せなご縁に恵まれ、神戸北野異人館にて、お茶をテーマとした講座をもたせていただき十余年になる。お茶を通じて多くの方々と出会えたことは人生の宝となっている。お茶を飲むことは日常生活の一部であり、独りの時間、時には人と人、人と社会を結ぶコミュニケーションの場になっている。なぜお茶なのか、お茶が媒介するコミュニケーションについて考えていきたい。

1　爾雅
中国の古典十三経中の一書で、周公が作ったといわれる文字の解説書、一種のシノニム字典。

『唐詩選』（1973年）筑摩書房 p. 392

2 クリームティー【cream tea（英）】
ジャムまたは濃縮クリーム（clotted cream）をのせたスコーン（scone）の出る午後のお茶：英国南西部に多い。
『ジーニアス英和辞典』第5版 大修館書店

研究目的と意義

お茶がコミュニケーションの媒介として働いていることは少なからず認知されていると思われる。しかし、本研究ではいかに有効であるかを社会言語学の観点から考察することを目的としている。現在、社会生活の場で、お茶が身近に存在することは何を意味するのだろうか、お茶には何があり、お茶がいかなる役割を果たしているかを明らかにしていきたい。

お茶は他の飲物と異なる機能を有するが故、様々なコミュニケーションの場で役割をはたし、文化の継承も担っていると考えられる。これらの事柄を探求することが目的であり、導き出すために文学から読み解いていく。

文学作品からお茶が媒介とされる場面を抜粋することは、ひとたび人間自体から距離をおいて考察する試みである。人は現実に起きたことを概念化することにより消化・理解が高められると思われる。

人間を認識する上でことばの有効性を用い、ことばを結果分析することで社会生活におけるコミュニケーションを探求する。媒介するお茶の働きを考察することはコミュニケーションのさらなる活路を見出す可能性として意味をもつものと思われる。

先行研究

日本における社会言語学の研究は、日本の国語学の中の「言語生活研究」の一部を対象とする分野に位置づけられ研究の発展が見られる。1950年代から次第に増加する。1960年代アメリカにおいてのsociolinguistics研究の影響も受け、1970年代から1980年代前半にかけて急速に発展をみる。そして今日、社会言語学の研究分野は多岐にわたり、方法論、言語変種、言語行動、言語生活、言語接触、言語変化、言語意識、言語習得、言語計画などがあり、加えて関連する研究は幅広い(真田・ロング、1997)。

コミュニケーションについては、社会との関わりが非常に深く、社会言語学の領域において言語行動の研究分野に位置づけられ、古くから国内外で研究が続けられている。近年、対人コミュニケーションの研究が盛んである。特に、多文化間コミュニケーションや医療コミュニケーションなどの研究が進んでいる。

茶の研究は、国内外において歴史や文化、自然科学、経済などの幅広い分野で一連の研究が多岐にわたり行われ、多くの蓄積がある。

茶とコミュニケーションに関する研究は、久保亜沙美・近藤加代子（２００５）「コミュニケーション行為としての飲茶の現代的様式と意味‐急須の茶と携帯飲料茶の比較分析‐」、松山洸一（２０１６）「現代の日本におけるリーフ緑茶の飲用理由および飲用実態」、松山洸一（２０１７）「老人福祉施設への環境適応におけるリーフ緑茶活用に関する研究」などが挙げられる。

久保・近藤（２００５）は、「人と一緒にお茶を飲むことでコミュニケーションを意識している」と述べた。

松山（２０１６）は、日常生活を営むコミュニティーで飲まれるお茶を取り上げ、関東地方における家庭内の喫茶団欒から緑茶の飲用理由および飲用実態をまとめた。松山（２０１７）において、日本の高齢化社会を背景として生み出される現状に対し、特に高齢者の環境適応への茶の有効性を述べ、老人福祉施設利用者に対する緑茶の活用を提言した。

本書では、先行研究を参照しつつ、探究していきたい。

構成

第一章では、お茶についての概説を取り上げる。お茶の歴史について、文化との関わり、茶の成分上の特徴を記す。お茶は世界中で飲まれている。そして、飲み方や茶器の種類などに多様性が見られた。一方で、カフェインによる覚醒作用を利用するなど薬理効果を用いた共通性が存在した。薬理効果を鑑みアルコールとの関係にも言及する。また、特徴の一つに芳香が挙げられる。お茶の香りには鎮静作用が認められている。

第二章では、本論におけるコミュニケーションの定義を明確化し、お茶が媒介となるコミュニケーションに関わる要因・背景について考える。その中でも空間の重要性について焦点をあてて論じる。お茶の空間にはコミュニケーションを生む場が形成されている。次にお茶の精神と禅の精神から人間の感性との相関を考察する。お茶を通じて人が集まり、影響作用し様々な分野に反映されている。煎茶道を広めた売茶翁の元には、文人墨客が集まり、そこではお茶を媒介としたコミュニケーションと明言される現象が見受けられる。

第三章では、明治時代を中心とした作家の文学作品に見られるお茶に関する記述を扱い、言語を通じて人間の内面性を考える。お茶が関与することでいかなるコミュニケーションが展開されたか文脈を分析、お茶とコミュニケーションの関係性について場面による考察を行う。第一章から第二章での概論を踏まえ、第三章での結果を集約し、論証から展開を示す。結びにて結論及び今後の課題を述べる。

文学作品は、現在まで残り読み継がれ、ことばとして残る。資料として扱うことの信頼度が高いものと考えている。明治時代を選択した理由は、近代化が始まった時代と位置づけられている点である。殊に四民平等・民主主義へと社会が変革したこと、「太政管の布告以降明治5年（1872年）12月3日を明治6年1月1日とする西暦（林屋、1979：54-55）」と定時法が基準として導入されたこと、共通語の必要性、言文一致体が確立されたこと、武士階級が廃止され女性にも茶道が開かれるようになったこと、幕末開港後に緑茶が商品としての性質を有したこと、お茶が一般に普及したことなどが挙げられる。吉浜（１９７５）は「明治年間の45年間、茶の小売価格は変動なく販売された」と記している。

明治の文学は、幕末の思想から啓蒙期の思想を含む「明治初期」、文体革命の原点であり近代文学の成立時とされる「明治中期前半」、明治20年代から30年代にかけて詩歌中心に浪漫主義が見られた「明治中期後半」、浪漫主義から自然主義に展開が見られた明治40年代の「明治後期」に大きく分けることができる（紅野・三好ほか、１９７２）。

明治時代において、特にお茶が社会全体に広まった時期を明治後期と見据え、文芸作品についても時代背景の中心として捉えた。「お茶とコミュニケーション」を扱う上で重要な要素であると考えたからである。加えて、古くからお茶が人々の生活の中に存在していること、そして、コミュニケーションを考える上で、日本の近代文学作品において、人間の内面性を重んじた作風である夏目漱石の作品を中心に、人生・生活を扱った作品を選定した。

第一章　茶についての概説

第一節　茶の歴史と現状

お茶は世界中で飲まれている。茶の原料となるチャ樹はツバキ科（Theaceae）、ツバキ属（*Camellia*）に分類されている。チャ樹は中国種が古くから知られていたが、1823年ブルース（Bruce,R.）がアッサム種を発見したことから、現在では中国種（Camellia sinensis var. sinensis）とアッサム種（var. assamica）に大別され、その他の品種はこれらの中間種とされている（伊奈・坂田ほか、2002）。用途の違いによる分類、茶産地による分け方などがあるが、製造法の違いにより分けられるものが一般的である。生葉には酸化酵素が多く含まれ製茶の工程において酵素作用の程度により分類される。同じチャ樹の生葉から、発酵の度合いにより不発酵茶、半発酵茶、発酵茶と大別される。それぞれの代表的な茶は緑茶、烏龍茶、紅茶と異なる風味を有するお茶が生み出される。現在、中国では発酵の度合い（後発酵を含む）を水色で緑茶、白茶、黄色、青茶、紅茶、黒茶の6つに分類している。しかし、その中に含まれる茶の種類は計り知れない。

日本に最初に茶がもたらされたのは、平安時代前期とされる。永忠、最澄、空海ら遣唐使が仏教とともに茶を持ち帰ったことによる（村井、１９７９）。嵯峨天皇を中心とする宮廷貴族の間で嗜まれた。嵯峨天皇の弘仁年間は、唐風文化への最高潮期と知られている。喫茶が唐風文化の中核となったことが考えられる。しかし、８４２年に嵯峨上皇が亡くなると次第に衰退していった。その後は、約３００年後の１１９２年、臨済宗の開祖となる栄西が二度目の入宋から帰国して以来になる。栄西は、日本最初の茶書といわれる『喫茶養生記』を著した。茶の栽培も本格的にはじまる。周（１９８８）によれば、「今日の日本における抹茶は、その茶樹の栽培方法から茶の作り方に至るまで、宋代のものとは異なるところがあるが、それは、栄西以降の改良の結果である。」と述べている。中国起源の抹茶法は、中国では見られなくなっていくが、日本では食文化をはじめ建築様式など生活文化に広く影響を与え、文化として受け継がれていく。

13世紀、仏教において宗教儀式の一部とされた「茶礼」は、鎌倉後期に禅院における僧侶の守るべき行儀作法（清規）から生まれた。禅院茶礼は武家社会にも受け入れられ、茶の湯が確立されていく（村井、１９８１）。室町幕府八代将軍足利義政（１４３６-１４９０）は、日本で最初の茶室『同仁斎』を銀閣寺東求堂に設けた。茶の湯によって精神を修養し、交際の礼法をきわめようとする道を茶道[3]という。

一方、16世紀、中国から散茶が輸入される。中国福建省の黄檗僧の隠元が、明代の方法（釜炒り煎茶）を日本に伝えたとされている。

日本における茶の渡来・普及について、寺院でのお茶の施行やお茶の飲用による茶寄合から連帯性や茶に対する数寄性が人を引きつけたことが理由に挙げられる。そして、茶を招来した者が留学僧あるいは渡来僧であることから、茶の渡来・普及との相関をみると、唐・宋・明末の各時代が日本においての平安時代、鎌倉室町時代、江戸時代という三時期に茶の新しい普及状況を展開している（林屋、１９８１）。

日本で「茶」と言えば緑茶を意味するであろう。英国を始め、世界各国で最も飲用されているのは紅茶である。

２０１８年の日本における紅茶の消費量は緑茶の約20％である。[4] 日本、中国、台湾、ベトナムなどの緑茶国を除いた世界各国においては、茶は紅茶を意味し、紅茶は世界の茶生産量の約６割を占める。[5]

２０１８年「世界の茶生産量」は、前年から３・４％増の５８９万６，６４４ｔとなり、過去最高を更新した。10年前の２００９年比で46・7％増の大幅な伸長となったのである。主要生産国の推移をみると、1位の中国の２０１８年茶生産量は前年から４・７％増の２６１万６，０００ｔ、２００９年比では93％増加である。2位のインドは１・２％増加の１３３万８，６３０ｔ（２００９年比36・7％増）、3位のケニアは12％増加の49万2，９９９ｔ（２００９年比56・９％増）であった。続くスリランカは30万4，００６ｔと減少に転じたが２００９年比では４・９％増と拡大している。要因は、中国での一人当たりの茶消費量増加に加え、インド・中

中国	日本	宗教		製茶技術
唐代	平安時代	密教	永忠・最澄・空海	団茶法
宋代	鎌倉・室町時代	臨済禅	栄西・疎石	抹茶法
明末	江戸時代	黄檗禅	隠元	煎茶法

図１ 茶の渡来・普及の相関

東諸国における人口増加が消費拡大に直結している。近年、中国を中心とした緑茶の生産量が拡大傾向にある。今後も世界的に茶の需要は拡大するものと見られ、中国、インドさらにケニアを中心に生産量の増加の見通しである（食品産業新聞、２０１９）。

3　室町時代、珠光を祖とし、紹鷗を経て、千利休に至ってこれを大成、禅の精神を取り入れ、簡素静寂を本体とする侘茶をひろめた。利休の子孫は、表千家・裏千家・武者小路千家の３家に分れて今に伝わり、その他門流多く、三斎流・織部流・遠州流・藪内流・石州流・宗徧流・庸軒流などの分派を生じた。『広辞苑』第七版 岩波書店

4　「全国茶生産団体連合会・全国茶主産府県農協連連絡協議会」茶の生産と流通　https://www.zennoh.or.jp/bu/nousan/tea/seisan01b.htm（閲覧日２０１９．04．14）

5　「食品産業新聞ニュース WEB」https://www.ssnp.co.jp/news/beverage/2019/10/2019-1025-1031-14.htm（閲覧日２０１９．04．15）

第二節　文化の一端を担う茶

一般的に食物が伝播するには、人の往来や政治経済など社会的な要因が知られ生活文化の受容と切り離すことができない。殊に、「茶」は、人により活かされ人間社会に存在している。文化触変に密

サモワール（在大阪ロシア連邦総領事館にて著者撮影、撮影日：2020.1.25）

接に関わっていると考えられる。

　お茶は国によって多様な飲み方が見られる。気候風土、生活、食文化とのかかわりも加味しなければならない。日本では季節毎の設えがあり、茶道具などにも変化を生ずる。緑茶の中にも蒸製緑茶の抹茶（碾茶）・玉露・煎茶や釜炒製緑茶に代表される中国茶など多種である。そして、種類に応じた茶器が見られる。茶器は、お茶の特徴を最大限に引き出す工夫から形状がなり、加えて絵画・芸術、陶磁器の文化が通時的に備わっている。他国においても、香りを楽しむ中国・台湾の「工夫茶器」、使い捨てのインドの「クリ」、ガラス製のトルコの「チャイバルダック」、スラブ系の国々やロシアで使用された暖房を兼ね備えた「サモワール」など様々な茶道具が存在する。茶をお茶として飲用するほか、中国・台湾では種子から油を採取し、多種多様な調理に用いる。ミャンマーでは、茶葉を蒸して乳酸発酵させた「ラペソー」と呼ばれる「食べるお茶」が各家庭で作られ常備されている。お茶は生活に欠かせない存在であることがわかる。

　お茶が供される場所の一つに茶室があげられる。「茶室」は、少なくとも二種類存在する。一つは、日本の和風住宅で居間と食事をするための部屋が兼ね備わった「茶の間」として、もう一つは、茶事・茶会を行う部屋または建物を意味する。日常に飲むお茶に対して非日常の集いの場でのお茶といえよう。後述の茶室は、歴史において、お茶の嗜み以外に密議を含むコミュニケーションの場としての役割も担っていた。それは日本の茶室のみならず、中国の茶館、イランのチャーイ・ハーネ、欧米のティールームなど各国の茶室においても同様の役割が見受けられた。

茶の呼称について、広東語系はチャ（Cha）、福建語系はテ（te）であり、最初の積出地から陸路を伝わった地域はチャの発音、海路を伝わった地域はティと発音が訛っている。例えば、同じヨーロッパ諸国でも、ポーランドは（Chai）、ポルトガルはチャ（Cha）、イギリスはティー（tea）、ドイツはテー（Tee）である。茶の文化は、各国の語のなかに定着している（岡田、１９９８）。

中国から伝えられたお茶は、日本では後に闘茶、茶礼、茶の湯、など、ベトナム・カンボジアなど東南アジアでの婚礼のお茶、欧米ではアフタヌーンティー、ピクニックなど世界中に喫茶文化を生じている。多くの国々で詩や歌にも詠まれている。様々な芸術文化の題材に用いられ文芸の表現媒体にも取り入れられている。例えば、ロシアの音楽家P．I．チャイコフスキー作曲・振付師M．プティパ、L．イワーノフによる古典バレエ『くるみわり人形』（１８９２年初演、ペテルブルク、マリインスキー劇場）は、ドイツのE．T．A．ホフマン原作『くるみ割り人形とねずみの王様』（１８１９年）をフランスのデュマ親子によって翻訳されたフランス幻想文学の古典『はしばみ割の物語』（１８４５年）が基になったものである。描写には「茶」や「日本の茶器」があり、音楽には「茶の精」が躍る「中国の踊り」の曲と演目が含まれている。茶が複数の国を介在していることが明らかである。また、享受される国々で文脈の変化を有した。そして、外見的特徴や身体表現において、色彩をはじめ衣裳・振付などあらゆる表現は独自性を生じている。しかも、作品が生まれた年代は茶がその国にもたらされた時代とほぼ一致している。つまり、背景には、茶が時代の政治経済にも関わり、社会的要因に大きく影響したものであるということがわかる。

お茶は文化の一端を担っていると考えられる。それぞれの国の基層と融合し新たな文化となり文明として歴史を刻んでいくと言えるのではないだろうか。

お茶には様々な文化にかかわる飲み物としての特性が認められる。

第三節　茶の薬理効果

一　お茶と健康

陸羽[6]は、深く茶を嗜み、『茶経』三巻を著し、周代より以降、唐朝における飲茶の理論を体系づけた。『茶経』は世界ではじめての茶の専門書と位置づけられている。

布目(1998)は、「『茶経』の著作より約100年前(659年)に官撰の本草書(薬学書)である『新修本草』が編集され、その木部に茶は『茗』として初めて本草書に独立項目として登場する。薬効として『毒無く、瘻瘡（できもの）に効き、利尿によく、痰、熱、渇きを去り、気分を落着かせ、宿食を消す』飲むには他に加えるものがあるため茶が単独ではないが、茶の薬効に妥当する点がある」と論じている。

皮日休は、『茶中雑詠』序において、『爾雅』の引用を行い陸羽や茶について述べている。陸羽が『茶経』三巻を著したこと、その他、「茶を飲むと頭痛をとり除き、悪病を去り、医者にも及ばない、人に対して役立つことはどうして小さかろう（吉川・小川、1973：391）」と茶の効用を認めている。加えて、茶に道具がありながら詩に現れないのは残念なことであると記し、茶について十篇の連作である七言律詩の詩を詠み、親友で茶を深く好み嗜んだ陸亀蒙に寄せた。

内容は、一　茶塢：ちゃう（茶畑の様子）、二　茶人：ちゃじん（お茶に携わる人）、三　茶筍：ちゃじゅん（茶の若芽）、四　茶籯：ちゃえい（茶をいれる籠について）、五　茶舎：ちゃしゃ（餅茶をつくる場所、順序）、六　茶竈：ちゃそう（茶事の準備）、七　茶焙：ちゃほう（餅茶の色が変化する様子）、八　茶鼎：ちゃてい（茶窯）、九　茶甌：ちゃおう（茶器について）、十　煮茶：にちゃ（茶を煎じる様子）に詠まれた。煮茶の最終行において、二行にわたり「もしこの茶を中山の酔人にそそいだなら　必ず千日の酔いもさますだろう（吉川・小川、1973：398）」と記されている。吉川・小川（1973）は、「中山は河北省定県のあたり、『酒史』に、劉玄石が中山より千日酒を買い、千日間酔いつぶれた。」と解説している。

お茶は酩酊した者に対しても酔いを醒ますことができる優れた飲み物であることが明らかである。

松下（1986）によると「地球全体からみると、お茶を飲む人口は、南半球より北半球のほうが多いことがわかる。これは南半球や赤道付近では常時果物もあって天然果汁に恵まれていることがその一つの理由であると言える。これに反し、北半球の北方諸国は、果汁もさることながら寒い国が多く、しかも乾燥地帯が多い。したがって、年間を通して補給でき、しかも安心して飲むことができるお茶を求めることになる。しかも、お茶は他の飲み物に比べて成分的に恵まれており、ことにタンニン類やビタミンを含むことは北方諸国に住む人たちにとって何より得がたい飲み物といえる。たとえば生肉を食べるエスキモーにはじまってシベリア地方の厳寒地に住む人たちには血液の酸性化を防止する飲み物として茶が重宝がられているのである。」と記されている。

英国をはじめとするヨーロッパ、ロシアではアルコール中毒者の社会問題が深刻化した時代があった。

英国政府は「禁酒協会（1830年）」を設立、絶対禁酒運動をはじめた。アルコールに代わる飲み物として、当時すでに普及していたお茶が推奨された（荒井、1989）。ヨーロッパへの茶の伝来について、村井（1979）は「茶の製品がはじめてヨーロッパに渡ったのは、1610年、オランダの東インド会社の手による。そしてヨーロッパに伝わった茶はまずオランダ人やイギリス人に受け入れられて普及し、やがて北欧にまで広がったものという。」と述べている。

一方、ロシアは、1869年、ロシアと清との間にネルチンスク条約[7]が結ばれたことを契機に交易路が開かれる。

キャラバン隊が陸路を1年以上の月日を要し、中国北部のカルガン（張家口）から茶を運んだ経緯が存在する（サベリ・竹田、２０１４）。お茶はロシアで贅沢品と扱われていた。スエズ運河の開港、シベリア鉄道の開通を経て、しだいに一般庶民に広く茶が行きわたるようになる。当時のロシアではウォッカ中毒者の存在が社会問題となっていたが、お茶が禁酒運動に用いられたことでアルコール依存・死亡から多くの人々が救済された事例が報告されている（森永、２０１９）。

中国や日本にアルコール中毒者が社会問題として大きく報じられた事例が見られない。水質事情や地理的条件に加え、古くからお茶を飲用していたことが理由の一つとして推測される。

カメリア・シネンシスという一つの植物が世界中に「茶」として生る。意図的なお茶の飲用習慣が健康面においての薬理効果として用いられていたことは、茶の多様性の中の共通性と言える。

『日本食品標準成分表八訂』[8]によると、アルコールと茶は双方とも「し好飲料類」に分類されている。

6　陸羽　中国、唐の文人で茶人。７３３?～８０４?　別名は疾、字は鴻漸（こうぜん）、季疵。復州竟陵（湖北省）の人とするが、自分では「いずこの人なるかを知らず」といい、3歳で孤児になったとも、また捨て子だったともいわれる。湖州文人との交際が深く、また顔真卿の知遇を得て百科辞書『韻海鏡源』の編集に携わった。顔真卿らとの『竹山堂連句』のほか、著書に『茶経』（3巻）があり、茶神として祀られている（山田新市）。『緑茶の事典』（２０００年）柴田書店

7　ネルチンスク条約　Nerchinsk　１８６９年、ロシアのネルチンスクでロシアと清朝の間に結ばれた条約。両国間で黒竜江地方の奪い合いが続くなか、清朝側の軍事的優越を背景に結ばれたこの条約で、国境線の一部が

画定しロシアの対中貿易も認められた。露清間の最初の条約である（石井明）。『角川世界史辞典』（２００１年）角川書店

8 文部科学省科学技術・学術政策局政策課資源室『日本食品標準成分表２０２０年版（八訂）』Excel（日本語版）https://www.mext.go.jp/a_menu/syokuhinseibun/mext_01110.html（閲覧日２０２１．01．01）

二　茶の成分上の特徴

茶は、生葉を加熱し、酸化酵素の活性を停止させ、成分に生化学変化を起こさせることなく揉捻、乾燥を経て製造される。したがって、成分は熱変化を受けるのみで、茶葉に含まれる成分の大半は変化することなく茶葉中に残っている（伊奈・坂田ほか、２００２）。

健康に関係する茶の化学成分の特徴は、アルカロイド[9]と呼ばれる薬理作用を示す成分を多く含むことであり、様々な生理作用を示している。

渋みの基「カテキン」、苦みの基「カフェイン」、旨みの基の「アミノ酸（テアニン）」、そして、香りの基の「テンペル類」であり、これらが茶を茶らしく形成している物質である（大森、１９９８、２０１７）。

（1）カテキン

茶に含まれるタンニンは化学的にはカテキンと呼ばれる。カテキンは、茶の乾物当たり10～20％も含まれ、緑茶より紅茶に、一番茶より二、三番茶に多く含まれる。茶の渋みである。急須や茶碗につく茶アカ（茶渋）と呼ばれる渋もカテキンによる。

（2）カフェイン

茶の乾物あたり2・5～3・5％含まれ、1820年 Ruge がコーヒーから分離同定した。中枢神経に作用して興奮、強心、利尿作用を示す。新芽ほど含有量が多い。

（3）アミノ酸

茶に含まれるアミノ酸は、テアニンと呼称されるアミノ酸が多い。甘い呈味を有する。お茶のうま味である。テアニンは、番茶、ほうじ茶はその含有が少なく、玉露、煎茶では多い。

（4）各種ビタミン

ビタミンには水に溶けやすいB、Cや油に溶けやすいA、D、Eなどがある。茶に含まれるビタミン類はB、C、Eの含有量が高く、一般に緑茶には多く含まれ、ウーロン茶や紅茶にはほとんど含まれない。

煎茶に含まれるビタミン含有は茶葉100g当たり$B_1$0・3～0・5mg、$B_2$1・2～1・7mg、

C２８０mg、E70～90mgである。仮に１日に10gの煎茶（茶碗で約２杯）を飲むとすると、成人１日の必要量のうち、B_1は１／30、B_2は１／10、Cは１／２を摂取できることになる。ビタミンEは、茶または茶殻を食べることにより、E以外にもカロテン、脂溶性ビタミン、食物繊維などが摂取できる。

（５）茶の香

新茶の香りの特徴は、海苔のような香りと緑を感じさせる香りである。緑茶に含まれる香気成分は、気持ちを和ませる作用のあることも知られている。良い香りをかいで満足した時、人は筋肉が弛緩し、脳細胞に休息と活力を与えるという。一般に、茶の香気成分としては緑茶よりもウーロン茶や紅茶のほうが多い。

（６）薬理効果

お茶のおもな薬理作用は、山西（１９９２）の『お茶の科学』18章「お茶の保健効果と薬理作用表18・12」[10]にまとめられたものを、次の「表１」に引用する。

表1　お茶のおもな生理作用、薬理作用、保健効果などのまとめ

生理作用、薬理作用	保健効果、疾病予防など	茶中のおもな有効成分
覚醒作用 大脳刺激作用 利尿作用	疲労回復 腎臓疾患による浮腫防止	カフェイン
抗酸化作用	老化防止	カテキン酸 ビタミンC ビタミンE
脂肪の吸収抑制 コレステロール量のバランス調整	動脈硬化予防 （動脈瘤、高血圧予防） 心筋梗塞予防	カテキン類 カフェイン｝脂肪分解 ビタミンC｝を助ける ビタミンE
血圧降下作用	脳出血予防	γ-アミノ酪酸 （ギャバロン茶に限る）
血管壁浸透性の維持	脳出血予防 抗壊血病	ビタミンC フラボノール （ケルセチンなど）
抗腫瘍性 抗ガン性	ガン予防	カテキン類 ビタミンU（MMS）[11]
抗菌性 解毒作用	食中毒予防 むし歯予防 インフルエンザ予防	カテキン類
カルシウム溶出防止作用	むし歯予防	フッ素

9 アルカロイド【alkaloid】
主に高等植物体中に存在する、窒素を含む複雑な塩基性有機化合物の総称。ニコチン・モルヒネ・コカイン・キニーネ・カフェイン・エフェドリン・クラーレなど多数のものが知られている。植物体中では多くの酸と結合して塩を形成。多くは少量で毒作用や感覚異常など特殊な薬理作用を呈する。類塩基。植物塩基。『広辞苑』第七版 岩波書店

10 山西貞（1992年）『お茶の科学』裳華房 p.209

11 MMS S-メチルメチオニンは抗潰瘍性因子として知られ、ビタミンUともいわれる。このアミノ酸は緑茶のアオノリ様の香りの先駆物質として抹茶、玉露など覆下茶や新茶に多く含まれている。山西貞（1992年）『お茶の科学』裳華房 p.205

三 お茶の嗜好品化

薬理効果を利用されたお茶から嗜好品としてのお茶への広がりは、おいしさへの追及、目的や意味の変化、商品開発を牽引すると考えられる。加えて菓子、食事と飲物の関係は、数ある飲物からいずれを選択するかという場合に特に重要な条件になる。

『明鏡国語辞典』[12]によれば、「美味しい（お-いしい）」は、接頭語「お」に文語形容詞「いし（味がよい）」から。もと女房詞」とある。

〝おいしい〟という概念は、人と食べ物の間に成立する関係であり、おいしさに影響を与える因子が

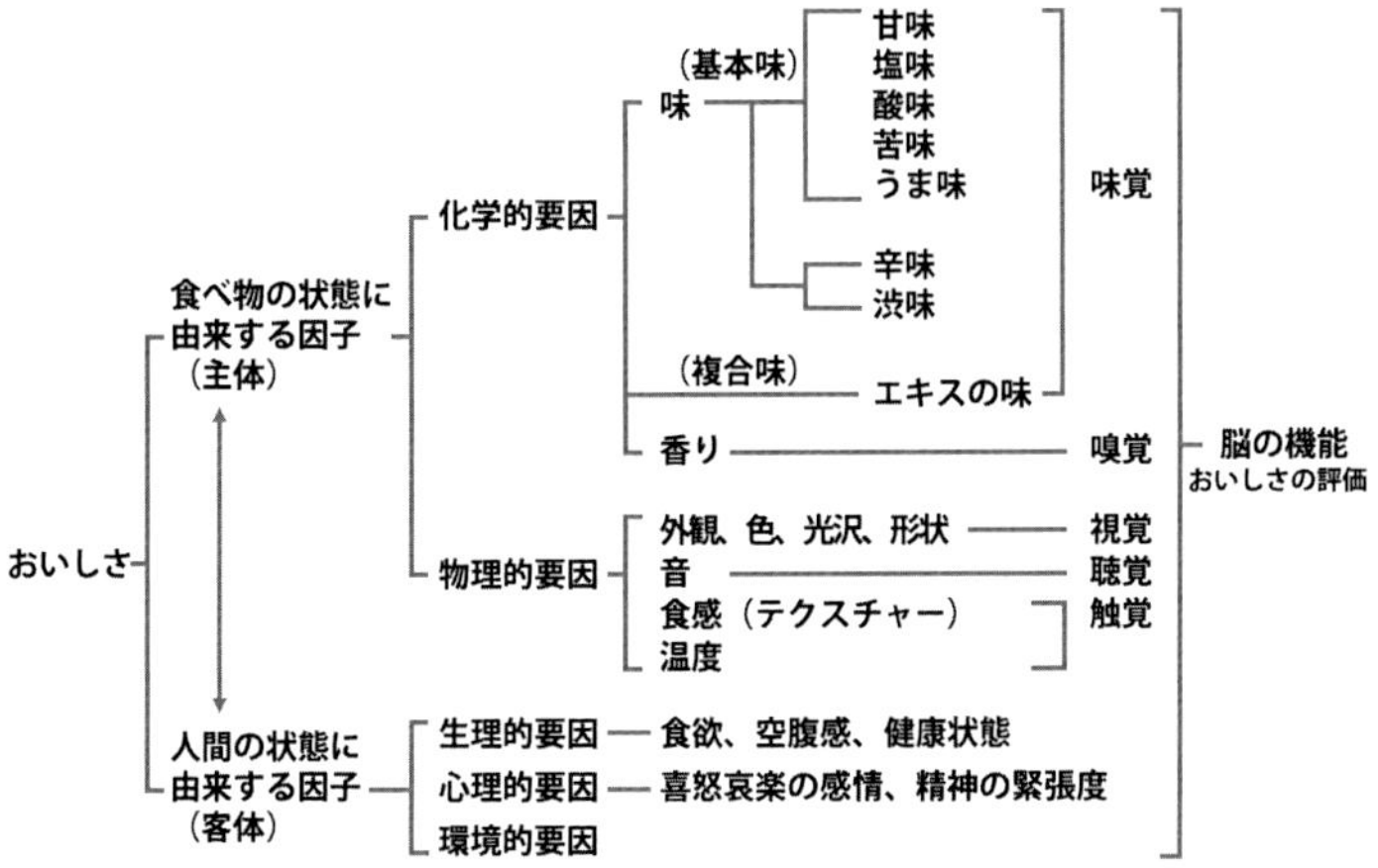

図２　おいしさにかかわる因子

あり、それらは複雑に関連しあうため、おいしさを一言で表すことは容易ではない。

食べ物の「おいしさ」では、基本味として五原味（甘味、塩味、酸味、苦味、うま味）、複合味と香りがある。食べ物の化学的成分が呈味性や香りの基になっているため、味覚や嗅覚でとらえることができる。物理的な要素には温度、食感、外観、音などがあり、これらの要因は触覚、視覚、聴覚でとらえることができる（森高・佐藤、２０１２）。

飲物の個人的な嗜好品化は、飲物が本来もっていた効果と異なった情報をもたらす。例えばアルコールは飲用を楽しむことが目的になれば、飲むという行為よりむしろ肴が重要な意味をもつようになる。茶も同質性があり、菓子類の発達に見られる。意味の変化は、肴や菓子類の味の変化も促す。また、イメージが飲物に期待される側面があり、健康というイメージが重要な意味をもってくるようになる（熊倉・石毛、１９９

6)。

人は味覚を舌の味蕾に感じ脳で判断をくだす。しかし、おいしいという評価に至るには図2のように複数の要因が影響している。人がおいしいものを口にすれば、おもわず顔がほころぶであろう。「苦み」や「渋み」が一種の違和感、危険を感じるものと判断されると吐き出されるはずである。お茶の苦み・渋みが危険なものと感じられずに受け入れられるのは、お茶が本来薬であったこと、お茶のもつ薬理効果と関連が深いと推測される。

12 『明鏡国語辞典』第二版 大修館書店

第二章　お茶とコミュニケーションについて

第一節　コミュニケーションとは

コミュニケーション【Communication】とは、『日本語学大辞典』[13]によると「情報のやりとり、特に言語によるものをいう。「伝えあい」「伝達」と訳されることもある。複合語では「〜コミ」と省略される。厳格な定義による典型・理想型としての用法から、比喩的な用法までである。狭義には人間どうしが言語によって情報を伝え合う行為をいい、広義には、2つ以上のものの間での情報の行き来・交換・やりとりをいう。人間と人間の相互交渉が典型だが、動物・植物や無生物のコミュニケーションも扱われる。また意図的、意識的、随意的、自発的なものが典型だが、そうでないものもコミュニケーションとされる。さらに言語のように恣意的な記号を用いるもの以外に、必然的な関係のあるものもコミュニケーションに使われる。」と記されている。

人が社会で生きていくうえで様々な欲求が存在し、欲求を充たすためにコミュニケーションは不可欠である。

人間の欲求についての研究は、アメリカの心理学者であるマズロー（１９５４）やアルダファー

（1972）などによって分類された論考がある。

マズローは、心身ともに健康な人間は、欲求の階層を登りながら欲求を満たしていくとし、欲求階層理論（A. H. Maslow, 1954）を提唱した。その動機づけの出発点として「生理的欲求」、次に「安全の欲求」、「所属と愛の欲求」、「承認の欲求」、「自己実現の欲求」の5段階の順である。そして、これらを基本的欲求と位置づけた。基本的欲求が満たされるためには、言論の自由、他人に危害を加えない限りしたいことをする自由、自己表現の自由、調べ情報を収集する自由、自己防衛の自由、正義、公正、正直、グループ内の規律の正しさなどが前提条件の例とされる。そして、秘密主義、検閲、不正直、コミュニケーションの妨害などがあらゆる基本的欲求を脅かすと論じている（マズロー・小口、1987）。

アルダファーは、マズローの欲求階層理論（A. H. Maslow, 1954）を踏まえ、生存（Existence）、関係（Relatedness）、成長（Growth）の3つに分類したE. R. G理論（Clayton P. Alderfer, 1972）を提唱した。アルダファーのE. R. G理論には、それぞれの欲求の同時存在性と可逆性がある。

末田・福田（2011）は、アルダファーのE. R. G理論に基づき、『ニーズとコミュニケーションの関係』を3つの焦点から説いている。人は生きていくために必要な生理的欲求を満たし、物質的安全を確保し、自分の生存に必要な物質的条件を満たそうとする「生存のニーズ」、社会においての人間関係であり、他者と関わる「関係のニーズ」、自己の能力向上や自分の置かれた環境を自分にとって良いものにしようとする「成長のニーズ」である。これらのニーズを充たそうとするためにコミュニケーションを行っている。

コミュニケーションは、言語メッセージと非言語メッセージの両方で行われ、同時に複数の要素が働いていること、無意識に発信されているメッセージの存在などが知られている。

言語メッセージには、言語音声メッセージ（話し言葉）と言語非音声メッセージ（書き言葉、手話）があり、非言語メッセージには非言語音声メッセージ（パラ言語）と非言語非音声メッセージ（外見的特徴、身体接触、身体動作、におい・香り、空間、時間など）がある。

荻野（２０１８）は「コミュニケーションは、話し手／書き手と聞き手／読み手の間のやりとりの循環（相互行為）を通じて成り立つ。」と論述している。

コミュニケーションは、他者との関係のバランスを保ち、所定の目標を実現するためにおこなわれる行動の連鎖である。つまり、一方がもっているメッセージを相手に伝えること、心理状態の共有化のプロセスである。そして、そのために使用するチャンネル間にメッセージの分配が行われる。主な働きは、情報の共有と感情の表出である。コミュニケーションの機能には次の5つがあり、①情報の提供：意図的に自分の考え、感情、知識等のメッセージを伝える ②相互作用の調整：相好作用の促進 ③親密さの表出：非言語的コミュニケーションは相手に応じたレベルの親密さを反映する ④社会的コントロールの実行：地位に応じたコミュニケーションによる他者への影響力実現に関する（支配、説得、欺瞞、自己呈示など）⑤サービスや作業目標の促進：本質的には役割や儀式的な行動。これらの機能は、言語以外のもつ行動（nonverbal 行動）として、パターソンが分類（Patterson, 1983）したものがもとになっている。コミュニケーション機能は、単一の機能をあらわすのではなく、複数の機能を担うことが多く、かつ、機能の間にも重複する部分がある（大坊・永瀬、２００９）。

コミュニケーション行動は、社会言語学において言語行動の中に位置づけられる。対人関係の言語行動では、場面（相手、場所、目的など）に応じてことばを選びながら、相手の反応によって次の言語行動を調整するという相互的な活動を行っている。言語が具体的にどう使われているかは、個人やその個人が属する集団の言語運用や言語現象を社会とのかかわりの中でとらえようとするため、背景となる社会的・文化的規範や世界観が大きく反映している（荻野、２０１８）。

13　『日本語学大辞典』（２０１８年）日本語学会

第二節　時間と空間

時間の見方には「時間移動・空間固定型」と「空間移動・時間固定型」が用いられている。現在から過去と未来を領略し、自らの精神的世界を意味化するところに、時間順序づけの理論がある（後藤、１９９０）。

時間は、意志に属する。意志が存在しないかぎり時間は存在しないからである。東洋においても時間は根本的に意志に属するものと解され、形而上学的見解によって証明されている。周期的かつ同一的時間である。この時間から解脱するために「主知主義的超越的解脱」と「主意主義的内在的解脱」がある。主知主義的超越的解脱とはインドに起源をもつ宗教の涅槃である。生きるために非時間的「解放」において、「永遠の休息」において死ぬために、知性によって時間を否定することにある。快楽主義からの帰結である。主意主義的内在的解脱とは日本の道徳的理想や武士道にみられる。生きるための真・善・美の探求を繰り返す中で真に生きるため時間を気にしないところにある。道徳的理想主義の表現である。周期的かつ同一的時間は、円環的・回帰的構造をもった形而上学的時間が考えられ、直線的な「現象学的時間」に「形而上学的時間」が垂直に交わるところにあり、現象学的時間のその都度の「現在」は垂直方向に無限の厚みないし深みをもつ（九鬼・小浜、２０１４）。

九鬼・小浜（２０１４）は、蝉丸の短歌『これやこの　行くも帰るも　別れては　知るも知らぬも逢坂の関』にも過去と未来が交差する瞬間とよばれる道があることを示している。「失われた時」と「見出された時」の回帰的構造をもった「永遠に繰り返される同一的時間の観念」を見出したのである。

一　茶室

『茶室』という呼称は近代になってからの言葉である。中村（１９９８）は、「茶会記をはじめ初期の茶書は、ほとんど『座敷』を用いています。例えば、座敷の様子異風になく結構になくさすが手きわよく目にたゝぬ様よし（『珠光紹鷗時代之書』、成福院へ　小座敷（『松屋会記』永禄元年1558）、堺春慶へ　座敷北向（同　永禄11年）。小座敷・大座敷一所ニ　茶湯如常（『天王寺屋自会記』天文18年1549）、大座敷之四帖半ニ而（同　天正2年1574）、座敷東向四畳半（『信長茶会記』天正元年）などと見えます。座敷という言葉は、昔座具であった畳が敷き詰められた室のことで、茶室は最初から小室ながら座敷でした。当時は町屋はまだ畳が敷き詰められていなかったのに、茶室は畳敷でしたから、町衆にとっては座敷といえば茶室であったのです。茶の湯のための室を座敷と呼んだのは、床を設け座敷飾りをするような室は、茶室以外になかったことを語っていると思います。」と説明している。

角山（2005）は、茶室のにじり口に注目し「武将といえども戸口にある刀掛（あるいは廂の棚）に刀と扇を置いておく。その上でにじり口から這うようにして入る。にじり口の構造は、刀はもちろん鎧冑を着けて入れない工夫がなされているのである。武力からの安全が保障された聖なる空間、それが茶室である。」と記している。

村井（1979）は、『江岑夏書』（逢源斎千宗左が養子随流斎宗巴に書き与えた備忘録、寛文三〔1663〕年）に次のような利休の言葉が伝えられているとしている。「一、四畳半ニハ客ニ人、壱畳半□（ニハ）客三人と休（利休）御申候。この言葉にこめられた利休の真意は、広い茶室は狭く、狭い茶室は広く用いよということであり、さらにいえば、狭さを極限まで徹底すれば狭さはもう狭さでなくなり、無限の空間なのだ、ということであろう」と論述している。さらに、「利休が茶室を小間にした理由は、茶の湯の空間を小さくすることによって、主客間の直心の交わりを期待し、寄合性を追求したことである。」と説いた。

対人関係において、相互的な活動を行う場合に共感力が重要とされる。自己と他者とを区別する能力、そして他者を理解する能力のことであり、他者とのコミュニケーション能力に関わっている。共感力はコミュニケーション能力とともに情動体験の有無が影響を及ぼす。さらに、無防備になれる関係を持つことは、癒しに繋がり共感脳を活性化させると示唆している（有田、２００９）。

政治・外交の場面においても相互的な活動の場として茶室が活用されている。大久保利通の茶室『有待庵』は、１８６６年の明治維新に非常に大きな影響をもたらした「薩長同盟」が結ばれた場所と言われており、その後も政治的な密議の場所として使われてきた（朝日新聞、２０１９）。また、戦後の日米関係の機軸を構築したといわれる中曽根康弘元首相は、自ら手を加えた『日の出山荘』にある茶室『天心亭』で各国の要人をもてなした。アメリカのレーガン大統領をはじめソ連のゴルバチョフ大統領との首脳会談の場にもなったことは広く知られている。

茶室の条件について、中村（１９９８）は「茶室はその内外の佇まいから細部にわたり、茶の湯の心意気をかよわせることによって、茶室となりうるものであります。一碗を掌にして茶の湯の心意気が五体に伝わってくるように、茶室の前に立ち、座中に座しただけで茶の湯の世界に人を引きこむことができるような空間であることが、茶室に欠くことのできない条件であります。」と示している。

兵庫県淡路市にある淡路国際会議場には、一帯の施設を手掛けた建築家、安藤忠雄による設計の茶

入口（歓心殿）

淡路国際会議場茶室
（著者撮影：2020.3.2）

室『つばき』と『さくら』が存在する。これらの茶室は茶室の条件を満たしている。しかし、茶室にあるべきものがない空間である。
　入口の書額『歓心殿』からは「すべての人が楽しく心を寄せる場所」との意味が込められていることが伝わってくる。アプローチからの景色は、南に海、北に借景の山並み、周りの森である。視線を下に見ると人工の浅い池が両脇に広がり、水面は上空から季節の光と周りの木々の色を受けている。アプローチを進むとその水面の色に限りなく近いガラスの窓に同化されながらしだいに視界が正面に吸い込まれるように茶室へと誘われる。天井は釘などを使用されずに作られたアーチを帯びた組木の天井である。人工の静寂な池に降る自然光と風の動きは二項対立を生み、どことも定まらない場所であるかのような神秘性を感じさせる。淡路瓦が規則正しく敷き詰められたアプローチは、まるで時を刻む秒針のようでもあり、茶室までのカウントダウンのようでもあり、同時に自身の脈が一定の間隔を打つリズムにも感じられる。瓦が敷き詰められた露地にあたるこのアプローチには草庵式の茶室の庭園にみられるような石灯籠、蹲、飛石、打ち水、苔などが一切ない。しかし、現代の露地と評されよ

水天閣

池

う。露地を歩きながらわかることは、天井の木の息遣いに呼応するように呼吸が整えられることである。五感が研ぎ澄まされていく感覚がわかる。

二つの茶室、『つばき』と『さくら』は庭園と池で一帯のように繋がっている。

茶室『つばき』は、方形の母屋である十畳の『水天閣』と四畳半の次の間、これらを囲む回廊からなる。そして、輪状の回廊を経て直線の回廊を通り茶室『さくら』である円形の小間、四畳半の『貝翠庵』へと続いている。鶯色と灰色を基調としており、鶯色は『水天閣』の壁と両茶室の畳の縁、ガラス素材の床や回廊の窓に用いられている。灰色はアプローチの露地と回廊に敷き詰められた淡路瓦、『水天閣』のステンレス製の柱に現されている。アプローチを進み空間を移動することによって生じる非日常的な感覚をともなう。異空間と感じられる茶室は、両方とも開放感があった。特に『水天閣』は外との一体感がもたらす明るい光が注がれた場所である。鶯色の畳の縁は、外に

貝翠庵

回廊

見える緑との繋がり調和を生み出しているように感じられる。小間の『貝翠庵』は躙り口から入ると予想に反し明るい。壁がプラスチック素材の白い蛇腹の表面であり、そのため壁の重みが感じられず、加えて円形のため空間的な広がりを体感させる。それぞれの茶室には「床の間」がない。

安藤忠雄の建築は、「人間が空間をつくり上げる『人間性』を表現している（安藤、２０１１：２３３）。」とされる。

茶室は自らの精神を安定させる場としての空間であることが明示された。草庵に限らず、空間自体に意味をもたせている。そして、茶室という限られた空間には寄合性がある。また、安全が確保され無防備でいられる状況は共感力を高め、時間の共有が相手との対等なコミュニケーションの場を作り出すものであると考えられる。

一方、空間の実質的広さは重要な要素ではないことが推察された。

狭さは人と人の距離を近づける利点があることが示され

た。逆説的に、広さに関係なく空間には心理的距離が介在していることがわかる。空間は虚構、別世界、非日常という位置になり、無となり、あるべきものがなくなるのである。

結言すれば、その空間の中で自然とコミュニケーションを生む環境を備えているといえるであろう。

二　香り

「『におい』には大きく分けて快い気分にしてくれる『香り』ないし『匂い』と不快にする『臭い』がある（平山、２０１７：14）。」

マルセル・プルーストの『失われた時を求めて』の中で「お茶にひたしたプチット・マドレーヌ」によって意思を介在しないで過去がよみがえる挿話がある。『無意識的記憶』のことであり、この現象を『プルースト効果』という。高村光太郎の智恵子抄『レモン哀歌』で、息を引き取る間際の一瞬にレモンの香気で智恵子の意識が正常に戻ったこと。中勘助の『銀の匙』で「茶の花の香り」に主人公が幼少の頃を思い出すことなどが挙げられる。

香りには、人工的な香料から季節の香り、気象においてもこれから先を予期するような雨の前の香り、朝起きてから就寝までの日常生活の中での香り、遠くの火災を察するような匂いなど限りなく存在する。その中である特定の香りに記憶が反応したとすれば、人生において深く心に残る出来事、大切な思い出があったのではないかと想像される。香りは記憶や感情と深く結びついている。

平山（2017）によれば、「嗅覚以外の視覚、聴覚、味覚、および触覚の情報はまず視床下部に届き、そこで中継され、その後に大脳皮質の感覚中枢に入り、感覚として認識される。ところが嗅覚神経は2つのルートで脳に伝わり、1つのルートは他の感覚情報と同じであるが、もう片方のルートは大脳辺縁系という領域にダイレクトに情報をつたえるルートである。『におい』は大脳新皮質を経ないで、記憶を支配する海馬領域や感情を支配する偏桃体に直接的に伝わるため、いわゆるフラッシュ・バックのような症状を示すと考えられている。」と説明される。

人は香りに意識を集中することで空間と時間の移動が可能となるのである。

香りを利用した取り組みが兵庫県の「神戸空港」に見られる。

飛行機とターミナルビルをつなぐ搭乗橋付近に設置した特殊な装置から人為的にコーヒーの香りを空間に漂わせ、「神戸に到着した」という心理的な高揚感を引き出す効果と心地よい香りで迎えるという空港のおもてなしの工夫である。神戸は明治以来の輸入品のひとつとしてコーヒーの知名度が高く、「コーヒーと神戸、神戸空港」と特色付けている。各地の空気にもその土地の香りが文化と重なり表れている。香りにより特定の空間を感じさせる要素が示された実例である。

三　交話的機能と冗長性

交話的機能は、儀礼化したあいさつのやりとりやだらだらした対話にあらわれる。つまり、ことばには、話し相手との関係を形成し育むことを目的とする機能が伴い、実際に交わされることばにおいて、伝達機能と交話的機能とは混じりあう。交話的機能とは、存在承認の機能と見なすことができ、自分の存在が承認され、必要とされていることがわかる。

冗長性は創造的なコミュニケーションの特質と捉えられる。冗長性の有無（多寡）によって、人間関係の様態（モード）が決定されることもあり、互恵的で体面的な冗長度の高いコミュニケーションの習慣が「相手に触れることばの可能性」として求められる。

ことばは、他者に触れることによって同時に自己を生かすものとなる。また、ことばは、触れあうことを拒絶する道具と化すこともできる。

ことばにおける他者との触れあいそのものが人間にとって重要な意味を帯びている。そして、自分のことばが相手に届き相手のことばが自分に触れるためには、交話的機能と冗長性が少なからず関係している（丹木、２０１４）。

第三節　お茶の諸相

一　向精神性

日本の戦国時代ではお茶が武士の教養の一つとして、さらに戦国武将たちの心のよりどころとなり人間の精神に深く関わり、茶の湯の勃興は茶道の源流へと繋がっていった。

神津（２０１９）は、「禅の思想は、一言でいうと経典を信じて加持祈祷をするでも、来世の極楽往生を願うでもなく、自分が釈迦の追体験をして悟る、ということでした。釈迦の生前にはまだ仏教経典は当然ありませんでしたので、確かに釈迦は仏教経典を読んでいませんでした。座禅をし、人生について考え、悟ったのです。それと基本的に同じことをすれば、自分も釈迦と同じ境地に達することができる、文字を読んで学ぶのではなく自分でその境地に達することができるはずだ、というのが禅の根本的な考え方だったのです。ですから、仏法の正法は経典では伝えることができず、その精神は直接的に体得するしかないとされました（不立文字・教外別伝）。悟というのはどういう意味か、私も悟っていないので説明がむずかしいのですが、死後がどうこうというのではなく、この世をどう生きるか、という点が問題とされているように思われます。生死を超越する心境に達するという目標が、特に武士に共感されたといわれます。また何かに専念することで、禅の修行と同じ境地に達することを認めていた点が、芸術家・芸能者に共感されました。ただし、だからといって「能禅一味」とか「連歌一味」といわれることはありません。茶だけが「茶禅一味」といわれます。」と示している。「一期一会」とは時が違い、場所が違い、人が違う一回一回の「出会い」は二度と同じ出会いではない。その意味で一生に一度限りの大切な時であるといえよう。そして、この世をどう生きるかということである。今に向き合い自己をみつめるためには感性を研くことの重要性が帯びてくる。それゆえにお茶には「茶禅一味」に評される茶と禅に存在する向精神性が認められる。

二　集いと学芸復興

小笠原流煎茶道「夏の冷茶会」[14]において、主催者の沼野秀和教授に「お茶とコミュニケーションについて、どのように考えるか」とお伺いした。ここにご紹介し、その教えについて理解を深めたいと思う。

・お茶があるということで人が集まる。人が集まればそこにコミュニケーションが生まれてくる。まさに人と人を繋ぐようなものである。

・煎茶道というのは、江戸時代に売茶翁高遊外（1675－1763年）によって確立されたともいわれる。売茶翁自身がお寺の住職を辞して、京都の東山のお寺や境内などで野点をしてお茶を配った。そして、そこにいろいろな人が集まってきた。それは単にお茶を飲むだけではなく、非常に知識人である売茶翁の話を聴きにくる。
・フランスのカフェ文化に共通するのもあるのではないか。「お茶」という人の集まりからコミュニケーションが生まれ、そこから新たな文化なり芸術なりが生まれてくる。お茶が一つの媒体になるようなことがあるのではないかと思う。

14　小笠原流煎茶道「夏の冷茶会」
主催者：小笠原流煎茶道　教授　沼野秀和
開催日：２０１９年８月31日
開催場所：神戸市　舞子公園『旧木下家住宅』

三　茶運人形と心像

人が時間の概念をもつようになり、時は神や信仰の対象から生活の度量衡の一つになった。時間を人が管理することで様々な時計ができた。殊に、機械式時計の技術は、西洋においては、セミナリヨとよばれる専門学校で技術が伝承され、その後も航海技術に結びつき、天文学・物理学の分野に広がり、社会・科学・技術の発展に寄与した。しかし、日本は西洋とは異なる発展が見られた。その一つが「江戸からくり」である。後に人形浄瑠璃・文楽・歌舞伎へと繋がっていった。

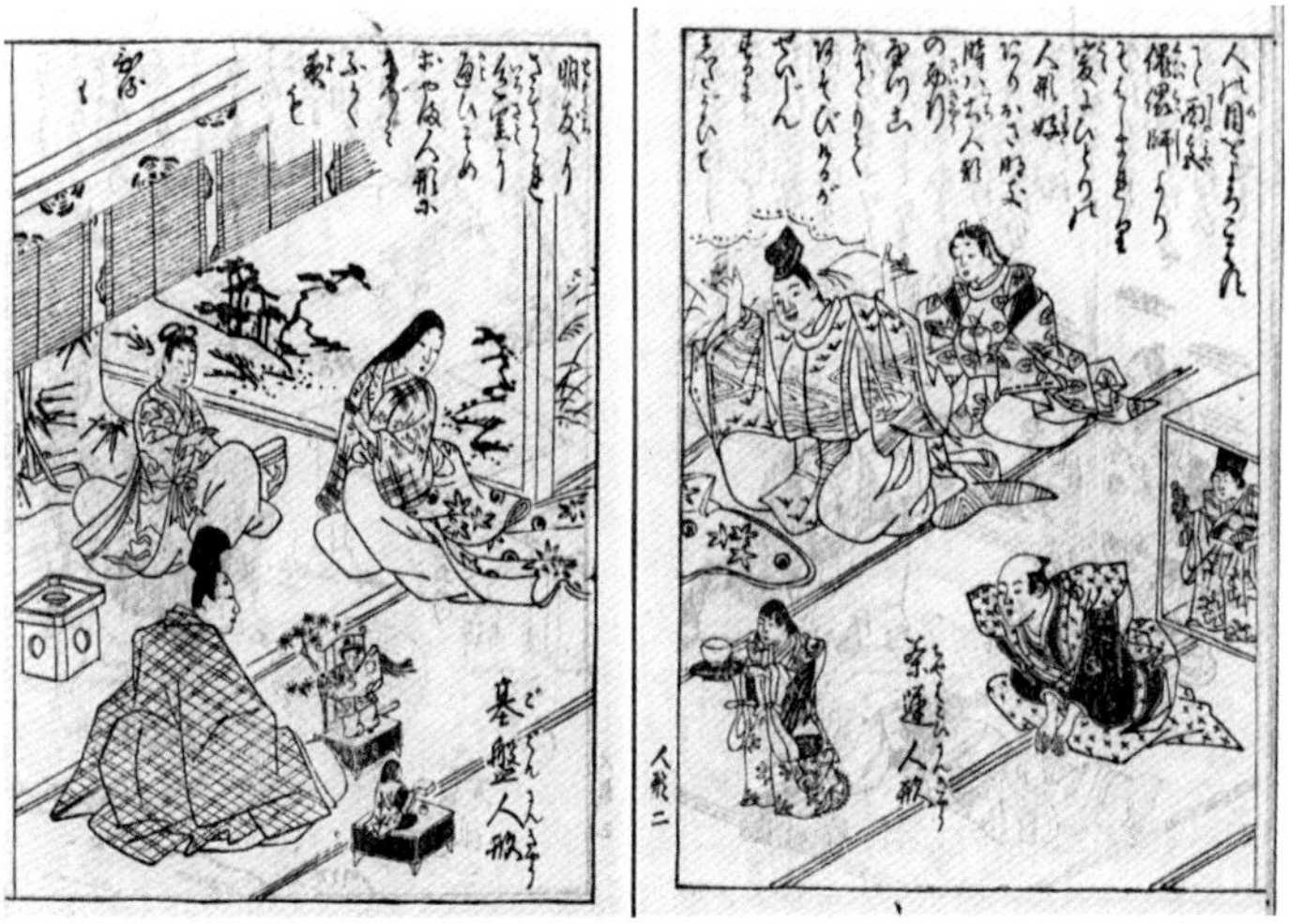

図3　絵本菊重ね[16]

からくり人形は、使用される場所により「座敷からくり」「舞台からくり」「山車からくり」に分けられる。「座敷からくり」は現代における家庭用ロボットのルーツとも言われ、その代表的なからくり人形に「茶運人形」があげられる。人の代わりを人形が行い、お茶を供する場に用いられるということは、集いの場での役割がコミュニケーションと関係深い。

次に示す図3は、江戸時代のからくり人形が描かれた絵双紙『絵本菊重ね』[15]の一頁である。右下に茶運人形が存在する。絵からは、主人の満足感、お客が身を乗り出すようにして茶運人形を見入っている様子などが見受けられる。茶運人形がお茶を運ぶことは、人形がコミュニケーションチャンネルの役割をもつ側面があると考えられよう。人形がお茶を運んだ結果、集いの場が盛り上がり、一層賑わいを見せていることがわかる。

小林一茶が茶運人形を詠んだ俳句『人形に茶を運ばせて門涼み』[17]が文政2年（1819）『八番日記』に存在する。季語は「門涼み」で夏、門前に出て涼む意味である。本来、主人に仕える立場の茶坊主や使いの者が客の前に出る際は注意を払う状況が察せられる。しかし、一茶の句からは、茶会の合間に外で休憩する寛いだ様子を読み取ることができ、陽が長い夏の長閑な印象を受ける。

茶運人形は茶托の上に茶碗を載せるとすり足で前進し、茶碗を取ると止まり、再び載せると旋回し同じように元の位置に戻る。動力はぜんまいのみである。人形の前進に用いる動力をぜんまいの戻る力のみにすると一度にエネルギーを放出してしまうが「天符」で速度調整し、それにより速度が一定するように保たれている。外観は、歩行により首が微妙に揺れる様子などが見る人に表情を感じ取らせている。加えて、茶坊主の姿をしていることも人形に人間らしさを感じさせている。

『機巧図彙』[18]において「玩物之部（もてあそびのぶ）」に記されていることからも、遊びの要素を有した玩具としての特徴が確認できる。考案された段階から人を喜ばすため、楽しませるためなどコミュニケーションの活性化に寄与するものであったと思われる。言うなれば、「もてなし」である。特別な時間を共有する役割を担っている。茶運び人形が介在することでお茶の価値をあげているようにもとらえることができる。主客間に潤滑油的に働きかけコミュニケーションを活発にするのである。

さらに、人間らしさの表現・工夫は見立て[19]であり、人工物の違和感を取り除くことに寄与していると考えられる。人形の表情は変化しないものであるにもかかわらず、表情を読み取るという現象からは、見立ての効果が物事を受容し易くすることが見受けられる。その他、日本人の慣用的な思想「草木国土悉皆成仏」[20]に寄ることも同時に考えられる。これらは多くの日本人が潜在的にもっている世界観であり、文化の形成に関わる一つの心像であると考えられる。

15 稀書複製会 編（1939年）『絵本菊重ね』米山堂

16 国立国会図書館デジタルコレクション https://dl.ndl.go.jp/info:ndljp/pid/1144245（閲覧日2021．01．01）

17 一茶の俳句データベース http://ohh.sisos.co.jp/cgi-bin/openhh/jsearch.cgi（閲覧日2020．02．03）

18 『機巧図彙』細川頼直（土佐国長岡郡西野地村の出身。通称は半蔵、字は方卿、号は万象あるいは丘陵と号した。渋川春海の学統に当たる川谷煎山に天文・暦学を学び、寛政のはじめ江戸に出て、関流の算学者として高名な『精要算法』の著者 藤田貞資につき暦数を修得した）によって寛政八年（1796）、首巻・上巻・下巻　三巻三冊から成る『機巧図彙』を記した。首巻には天符と重錘を使った時計（掛時計、櫓時計、枕時計、尺時計）の絵と機構、製作説明、上巻にはゼンマイを用いた茶運人形と水銀利用の五段返（人形）、連理返（人形）、下巻には龍門瀧、鼓笛児童、揺盃、闘鶏、魚釣人形、品玉人形などのからくりがその製作法とあわせて記載されている。江戸時代の機械書といわれ、日本で初めての機械工学書であるとされる。菊池俊彦（1976年）『江戸科学古典叢書3　機訓蒙鑑草／機巧図彙』恒和出版 p.85

19 「見立て」の最古例は『古事記』の伊弉諾尊と伊弉冉尊とが「其の島（オノコロ島）に天降り坐して、天の御柱を見立て、八尋殿を見立てたまひき」という一節だが、「見立て」はモノを選別して用いることをいう。『図説「見立」と「やつし」‐日本文化の表現技法』（2008年）人間文化研究機構、編者：国文学研究資料館 pp.167‐169

20 「草木国土悉皆成仏」（そうもくこくどしつかいじょうぶつ）《「国土」は無心のものすべて、の意》草木や国土でも、すべて成仏することができるということ。『日本語大辞典』第二版 講談社

第三章　文学作品のお茶に関する表現の内容分析と考察

第一節　分析方法

本論で扱った文学作品は、表２「対象文学作品一覧」の通りである。作品中に見られたお茶に関わる記述から１００例を分析の対象とした。「要因分析」については、先行研究（久保・近藤、２００５）及び（松山、２０１６）によって分類された、それぞれの「コミュニケーションとお茶の関係性」を参考に表３「お茶の主な飲用要因」を目的別に作成し、場面設定とした。

関与したコミュニケーション要素を調べるため、（末田・福田、２０１１）の「コミュニケーションの要素」を参考に用いた。チャンネルとしてのコミュニケーション要素にお茶の機能を加味した表４「お茶の働き」を設け、表５「要因分析集計表」にて内容分析を試みる。

一　対象文学作品

表2　対象文学作品一覧

著者名	作品名	初出	お茶の記述
夏目漱石	『吾輩は猫である』	明治38年	10
夏目漱石	『琴のそら音』	明治38年	2
夏目漱石	『草枕』	明治39年	10
夏目漱石	『坊つちやん』	明治39年	5
夏目漱石	『虞美人草』	明治40年	14
夏目漱石	『野分』	明治40年	3
夏目漱石	『三四郎』	明治41年	11
夏目漱石	『それから』	明治42年	8
夏目漱石	『永日小品』	明治42年	4
夏目漱石	『門』	明治43年	9
森鷗外	『カズイスチカ』	明治44年	3
夏目漱石	『手紙』	明治44年	2
夏目漱石	『彼岸過迄』	明治45年	5
中勘助	『銀の匙』	大正2年	2
夏目漱石	『こゝろ』	大正3年	6
夏目漱石	『硝子戸の中』	大正4年	3
夏目漱石	『道草』	大正4年	3
			合計　100

二　要因分析

人が社会で生きていくためには様々な欲求があり、その欲求を充たすためにコミュニケーションを必要としている。

お茶がコミュニケーションの媒体として働いていることは少なからず認知されている。社会生活の場で、お茶が身近に存在することは何を意味しているのか、そして、お茶がどのような場面で飲まれているのか、生活文化とのかかわりを明らかにするため、表3「お茶の主な飲用要因」を項目別に作成した。

お茶は他の飲物と異なる機能を有する故、様々なコミュニケーションの場で役割をはたし、文化の継承も担っていると考えられる。

コミュニケーションは複数のチャンネルを通じて行われている。

お茶がどのようなチャンネルを使ってコミュニケーションを取ろうとしているのかを明らかにするため、コミュニケーション要素とお茶本来の働きを項目とした表4「お茶の働き」を設定した。

表2「対象文学作品一覧」の作品中に見られたお茶に関する記述を資料として、表3「お茶の主な飲用要因」と表4「お茶の働き」を用い要因分析を行う。いかなるコミュニケーションが展開されているか、お茶とコミュニケーションの関係性を明らかにするため、次に示す表5「要因分析集計」を作成した。

表３　お茶の主な飲用要因

記号	項目（場面）	内容
D1	儀礼	挨拶、来客時のお茶など
D2	贈答	距離を縮める、お茶の贈り物など
D3	習慣	食事との相性、能動的な茶
D4	志向	人に勧める、勧められる
D5	交流	人と話したいときに誘う
D6	安息	気分転換、自分が飲みたいときに飲む
D7	独座	鎮静、間など
D8	その他の茶	

表４　お茶の働き

<table>
<tr><th>記号</th><th colspan="2">お茶の働き</th><th>内容</th></tr>
<tr><td>1</td><td rowspan="10">チャンネル</td><td>話し言葉</td><td></td></tr>
<tr><td>2</td><td>書き言葉</td><td></td></tr>
<tr><td>3</td><td>手話</td><td></td></tr>
<tr><td>4</td><td>パラ言語</td><td>表情音声、声の性質など</td></tr>
<tr><td>5</td><td>外見的特徴</td><td>体つき、髪・肌の色、付加物など</td></tr>
<tr><td>6</td><td>身体接触</td><td>本能的接触、儀礼的接触</td></tr>
<tr><td>7</td><td>身体動作</td><td>表情、身ぶり、姿勢、まなざしなど</td></tr>
<tr><td>8</td><td>におい・香り</td><td>香水、デオドラント</td></tr>
<tr><td>9</td><td>空間</td><td>対人距離、対人角度、空間使用</td></tr>
<tr><td>10</td><td>時間</td><td>時間の観念、時間に対する志向</td></tr>
<tr><td>11</td><td rowspan="6">お茶の機能</td><td>文化の一端</td><td>茶道、お茶会、食事</td></tr>
<tr><td>12</td><td>薬理効果</td><td>茶の成分上の特徴、生理作用、鎮静</td></tr>
<tr><td>13</td><td>向精神性</td><td>哲学、自己との対話</td></tr>
<tr><td>14</td><td>学芸復興性</td><td>芸術、サロン的集会</td></tr>
<tr><td>15</td><td>交話性</td><td>存在確認、冗長（雑談）など</td></tr>
<tr><td>16</td><td>その他</td><td></td></tr>
</table>

		50			1						1	1			1								0	1							0	1
		51	1								1				0		1		1			1	3	3						1	1	4
		52			1						1	1			1				1				1	2							0	2
		53			1						1	1			1				1		1	1	3	4							0	4
		54			1				1		2	1			1		1		1				2	3							0	3
夏目漱石	それから	55	1								1	1			1	1	1		1				3	4							0	4
		56	1								1				0				1				1	1					1		1	2
		57					1				1	1			1	1			1		1	1	4	5					1	1	2	7
		58	1								1	1			1	1			1				2	3		1					1	4
		59	1							1	2	1			1				1		1	1	3	4							0	4
		60	1				1				2	1			1		1		1		1	1	4	5							0	5
		61	1								1	1			1	1			1				2	3							0	3
		62	1								1				0				1				1	1							0	1
夏目漱石	こゝろ	63			1	1					2				0						1	1	2	2							0	2
		64			1						1	1		1	2				1				1	3	1						1	4
		65								1	1		1		1								0	1	1					1	2	3
		66								1	1		1		1								0	1	1					1	2	3
		67				1	1				2	1	1		2	1					1	1	3	5	1						1	6
		68	1								1	1	1		2								0	2							0	2
夏目漱石	彼岸過迄	69					1				1	1			1								0	1		1					1	2
		70	1								1				0							1	1	1							0	1
		71					1				1	1			1								0	1							0	1
		72			1						1				0							1	1	1							0	1
		73			1					1	2	1			1								0	1							0	1
夏目漱石	坊つちやん	74					1				1	1			1		1		1				2	3						1	1	4
		75					1				1				0	1			1				2	2					1	1	2	4
		76					1				1				0								0	0					1	1	2	2
		77	1								1				0								0	0		1				1	2	2
		78					1				1				0								0	0					1	1	2	2
夏目漱石	永日小品	79	1			1					2	1			1								0	1		1					1	2
		80								1	1				0				1				1	1						1	1	2
		81						1			1				0							1	1	1			1				1	2
		82	1				1				2	1			1						1	1	2	3							0	3
夏目漱石	硝子戸の中	83		1							1		1		1								0	1							0	1
		84		1							1		1		1								0	1							0	1
		85								1	1				0							1	1	1	1						1	2
夏目漱石	野分	86			1				1		2	1			1							1	1	2							0	2
		87						1			1				0				1				1	1							0	1
		88	1								1	1			1								0	1							0	1
夏目漱石	道草	89			1						1				0				1				1	1		1					1	2
		90	1								1				0				1			1	2	2							0	2
		91					1				1	1			1						1	1	2	3	1						1	4
夏目漱石	琴のそら音	92					1				1	1			1								0	1		1				1	2	3
		93					1				1	1			1								0	1						1	1	2
夏目漱石	手紙	94						1			1		1		1								0	1		1					1	2
		95						1			1				0								0	0		1	1				2	2
森鴎外	カズイスチカ	96						1			1				0						1	1	2	2			1			1	2	4
		97					1				1	1			1				1		1	1	3	4							0	4
		98						1			1				0								0	0			1				1	1
中勘助	銀の匙	99						1			1				0	1	1		1		1	1	5	5					1	1	2	7
		100								1	1	1	1		2	1			1		1	1	4	6							0	6
		合計	27	2	24	9	20	12	5	21	120	64	10	1	75	31	21	0	48	3	32	40	175	250	17	20	10	0	9	21	77	327
お茶の働き各項目の割合		比率Ⅰ	22.5%	1.7%	20.0%	7.5%	16.7%	10.0%	4.2%	17.5%	100%	85.3%	13.3%	1.3%	100%	17.7%	12.0%	0.0%	27.4%	1.7%	18.3%	22.9%	100%		22.1%	26.0%	13.0%	0.0%	11.7%	27.3%	100%	
		比率Ⅱ													30.0%								70.0%	100%								
		比率Ⅲ										25.6%	4.0%	0.4%		12.4%	8.4%	0.0%	19.2%	1.2%	12.8%	16.0%		100%								
		比率Ⅳ										19.6%	3.1%	0.3%		9.5%	6.4%	0.0%	14.7%	0.9%	9.8%	12.2%			5.2%	6.1%	3.1%	0.0%	2.8%	6.4%		100%

表５　要因分析集計

著者名	作品名	(1)お茶の飲用要因										(2)お茶を媒介としたコミュニケーション																				
		項目(場面)										お茶の働き																				
												チャンネル													お茶の機能							
		資料No.	D 1	D 2	D 3	D 4	D 5	D 6	D 7	D 8	合計	言語コミュニケーション 1	2	3	小計	非言語コミュニケーション 4	5	6	7	8	9	10	小計	合計	11	12	13	14	15	16	合計	総計
夏目漱石	虞美人草	1			1						1	1			1	1			1		1	1	4	5		1					1	6
		2					1				1	1			1	1				1	1	1	4	5							0	5
		3	1								1	1			1		1		1				2	3							0	3
		4				1				1	2				0							1	1	1		1					1	2
		5	1							1	2	1			1	1	1		1		1	1	5	6							0	6
		6					1				1	1			1	1			1				2	3							0	3
		7				1				1	2	1			1	1							1	2							0	2
		8	1								1	1			1	1	1		1		1	1	5	6							0	6
		9								1	1				0								0	0						1	1	1
		10								1	1	1			1	1			1				2	3						1	1	4
		11	1								1				0		1		1		1	1	4	4	1						1	5
		12								1	1	1			1						1	1	2	3					1	1	2	5
		13								1	1	1			1	1			1				2	3							0	3
		14			1				1		2	1			1	1			1				2	3							0	3
夏目漱石	三四郎	15	1								1	1			1		1		1		1	1	4	5	1	1					2	7
		16						1			1				0				1		1	1	3	3		1	1				2	5
		17						1			1				0		1		1		1		3	3					1	1	2	5
		18						1			1				0							1	1	1	1	1	1				3	4
		19						1		1	2				0		1		1		1	1	4	4					1	1	2	6
		20	1				1				2	1			1				1		1		2	3							0	3
		21	1			1					2	1			1								0	1							0	1
		22			1						1	1			1						1	1	2	3							0	3
		23							1		1				0				1		1		2	2			1				1	3
		24					1				1	1			1	1							1	2							0	2
		25				1					1	1			1						1	1	2	3		1					1	4
夏目漱石	草枕	26								1	1	1			1	1	1		1		1	1	5	6		1					1	7
		27						1			1				0		1						1	1		1	1				2	3
		28				1					1	1			1								0	1							0	1
		29			1						1	1			1		1						1	2	1						1	3
		30			1						1	1			1	1	1						2	3	1						1	4
		31			1						1	1			1		1			1	1		3	4	1	1					2	6
		32			1						1	1			1		1			1	1	1	4	5	1	1	1				3	8
		33			1						1	1			1								0	1							0	1
		34								1	1	1			1	1	1		1		1	1	5	6	1						1	7
		35			1				1		2				0				1		1	1	3	3							0	3
夏目漱石	吾輩は猫である	36	1								1	1			1	1			1			1	3	4							0	4
		37	1								1	1			1	1			1			1	3	4							0	4
		38	1								1	1			1	1						1	2	3							0	3
		39								1	1	1			1								0	1						1	1	2
		40			1						1	1			1	1			1				2	3							0	3
		41				1					1	1			1								0	1						1	1	2
		42								1	1	1	1		2								0	2		1	1				2	4
		43								1	1	1	1		2	1			1				2	4							0	4
		44	1								1				0	1	1		1		1		4	4	1						1	5
		45	1								1	1			1	1			1				2	3							0	3
夏目漱石	門	46			1		1				2	1			1	1							1	2	1						1	3
		47			1						1	1			1	1			1				2	3							0	3
		48			1						1	1			1	1			1			1	3	4	1						1	5
		49			1		1			1	3	1			1								0	1		1					1	2

三　お茶の主な飲用要因について

お茶の飲用要因は多様であった。社会生活の中でお茶が身近な飲み物であることが観察される。どのような場面で、お茶を媒介としたコミュニケーションが生じているか主な飲用要因を見ると、「儀礼」22％が最も多く、次いで「習慣」20％、「交流」17％という結果になった。

表６　属性別お茶の主な飲用要因（単位：件）

属性＼項目（場面）	儀礼	贈答	習慣	志向	交流	安息	独座	その他	合計
男性（25）	2	2	2	2	2	12	1	5	28
女性（1）	0	0	0	0	0	0	0	1	1
男性同士（26）	8	0	3	1	10	0	1	6	29
女性同士（5）	1	0	2	0	1	0	1	1	6
男女（43）	16	0	17	6	7	0	2	8	56
全体（100）	27	2	24	9	20	12	5	21	120

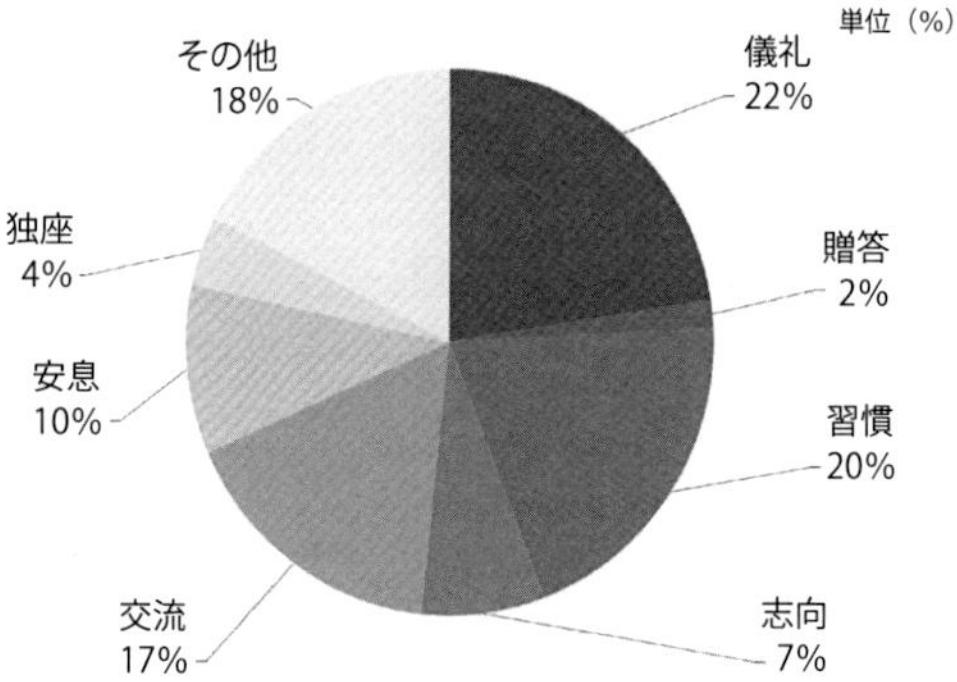

図４　主な飲用要因（全体）

属性に着目すると、「交流」では、「男性同士」、「男女の組み合わせ」の値が高いことがわかる。これらの点と照らし合わせて考えると、コミュニケーションの目的としてお茶が有効なツールであることが意味づけられていると確認できる。

次に、各項目の用例を示す。

1. お茶の主な飲用要因

（1）儀礼

①挨拶の要素（茶器による来客の痕跡）

> 「云つてた事は、云つてたが、来て見るとさうでもないね」と縁側で足袋をはたいて座に直つた老人は、「茶碗が出てゐるね。誰か来たのかい」「えゝ。小野さんがいらしつて……」「小野が？そりやあ」と云つたが、提げて来た大きな包をからげた細縄の十文字を、丁寧に一文字宛《ず》ほどき始める。
>
> （夏目漱石『虞美人草』資料No.5）

「茶碗が出ているね。誰か来たのかい」と状態を確認して、質問を続けている。質問により、説明を要求するコミュニケーションが開始されている。父と娘の会話である。

既に誰もいないが、お茶碗が出されたままになっているところであろう。来客時に儀礼のお茶を出すため、訪問者があったことがわかる。

「そりやあ」という表現は「それは、それは」という感嘆を表す連語の音変化である。「そりやあ、よかった」と小野さんの訪問を喜ばしく感じている。

②挨拶の要素（交話的機能によるお互いの存在承認）

> 代助は其所へ能く遊びに行つた。始めて三千代に逢つた時、三千代はただお辞儀をした丈で引込んで仕舞つた。代助は上野の森を評して帰つて来た。二返行つても、三返行つても、三千代はただ御茶を持つて出る丈であつた。
>
> （夏目漱石『それから』資料No.56）

三千代は、来客である代助に儀礼のお茶を出している。何度目かになれば顔見知りになり、ことばを交わすことがあっても不自然ではないところ、「ただ」と副詞を用い、それよりほかにないことを強調して表している。併せて、代助は三千代に関心があることが読み取られる。

お茶を出すだけであっても相手にその存在を意識づけている。挨拶同様に存在を認める交話的機能があることがわかる。

（2）贈答

> 包みのなかには此畫《ゑ》の外に手紙が一通添へてあつて、それに畫《ゑ》の賛をして呉といふ依頼と、御禮に茶を送るといふ文句が書いてあつた。私は愈驚ろいた。
>
> （夏目漱石『硝子戸の中』資料No.84）

「賛」の依頼とは、漢文の一体。人や事物をほめたたえるもの。多くは四字一句で押韻する。畫《ゑ》に題して画面の余白に添え書かれた詩・歌・文、画賛などである。（包みは、畫《ゑ》「富士山」）であった。そのお礼としてお茶が送られていたのであった。見知らぬ人物からの一方的な突然の依頼である。承諾前の一連の行為は不躾である。

後になって包みを開いた。あらためて事情を知り、あきれ驚いている。

一般的には贈答により距離が縮まることが考えられる。

（3）習慣

「おい辨當を二つ呉れ」と云う。孤堂先生は右の手に若干《そこばく》の銀貨を握つて、へぎ折を取る左と引き換えに出す。御茶は部屋のなかで娘が注いで居る。「どうだね」と折の蓋を取ると白い飯粒が裏へ着いてくる。なかには長芋の白茶に寝転んでゐる傍らに、一片《ひときれ》の玉子焼が黄色く壓し潰され様として、苦し紛れに首丈飯の境に突き込んでゐる。「まだ、食べたくないの」と小夜子は箸を執らずに折ごと下へ置く。「やあ」と先生は茶碗を娘から受取つて、膝の上の折に突き立てた箸を眺めながら、ぐつと飲む。「もう直ですね」

「あゝもう譯はない」と長芋が髯の方へ動き出した。「今日はいゝ御天氣ですよ」（略）

「さあ食堂へ行かう」と宗近君が隣りの車室で米澤絣の襟を掻き合せる。背廣の甲野さんは、ひょろ長く立ち上がつた。通り道に転がつてゐる手提鞄を跨いだ時、甲野さんは振り返つて「おい、蹴爪づくと危ない」と注意した。硝子戸を押し開けて、隣りの車室へ足を踏み込んだ甲野さんは、眞直に抜ける氣で、中途迄来た時、宗近君が後ろから、ぐいと背廣の尻を引つ張つた。

「御飯が少し冷えてますね」「冷えてるのはいゝが、硬過《こわす》ぎてね。―阿爺の様に年を取ると、どうも硬いのは胸に痞えていけないよ」「御茶でも上がつたら……注ぎませうか」

青年は無言の儘食道へ抜けた。（略）

「おい居たぜ」と宗近君が云ふ。「うん居た」と甲野さんは献立表を眺めながら答へる。

（夏目漱石『虞美人草』資料No.1）

食事の際の飲み物としてのお茶である。娘は食欲がなく、まだ食べたくないようである。父のためにお茶を準備している。

箸を突き立てる行為はお弁当であっても好ましいものではない。御飯にお箸を立てるのは葬儀の時に見られる。「箸」は「橋」と同音異義語である。父はこの先の運命を考えていたのではないかと察せられる。京都から東京へ渡る橋、娘の人生の架け橋、これからのことを亡くなった妻に願うようにも感じとることができる。

「やあ」と娘が入れてくれたお茶を受け取り、箸を眺めながら、ぐっと飲む行為は、内心に将来の不安を感じ食事も進まない気持ちが身体動作に現れている。

「やあ、お茶をありがとう」、と元気に振る舞っている。そして、祈るような気持ちで不安をお茶で一気に飲み込んだのだと察せられる。

御飯は家庭をイメージさせる。少し冷えているというのは寂しさや不安、人間関係を想起させる。「硬過ぎてね」との言葉からこれから再会する教え子との関係を表しているように感じられる。お茶が硬い御飯を柔らかくする助けとなる。冷たい御飯に対し、温かいお茶は対照的な存在である。「お茶でも上がったら…注ぎましょうか」と娘の優しい気遣いがわかる。この場合の注ぐは他動詞である。お茶を注ぐ行為は、まるで元気がなくなっている父に目的語にあたるお茶を緩和剤または活力として注ぐとも感じられた。また、一度空いた湯呑の中にお茶を入れるので「注ぐ」という動詞が用いられている。

(4) 志向

其時原口さんが、とうとう筆を擱いて、

「もう廢さう。今日は何うしても駄目だ」と云ひ出した。美禰子は持つてゐた団扇を、立ちながら床の上に落した。椅子に掛けた羽織を取つて着ながら、此方へ寄つて来た。

「今日は疲れてゐますね」

「私？」と羽織の裄を揃へて、紐を結んだ。

「いや實は僕も疲れた。また明日元氣の好い時に遣りませう。まあ御茶でも飲んで緩なさい」

夕暮れには、まだ間があつた。けれども美禰子は少し用があるから帰るといふ。三四郎も留められたが、わざと断つて、美禰子と一所に表へ出た。

（夏目漱石『三四郎』資料No.25）

「まあ御茶でも飲んで緩なさい」という表現について、「まあ」は副詞である。相手の気持ちをなごさめるようにお茶でも飲んで、と勧めている。「なさい」は「なさる」の命令表現である。ここでは、目上の者から目下の者に対して促すような、やわらかな表現である。原口さんが美禰子にお茶を勧めている。

お茶を勧めることで慰労の意味がある。そして、間をもたせようとしている。コミュニケーションのきっかけを生み出そうとしている。時間を共有することで関係（雰囲気）を良くしようとしていることが想像できる。

（5）交流

①「男性同士」のコミュニケーション目的

敬太郎はさつきから氣の毒なる先覺者とでも云つた様に相手を考へて、其云ふ事に相應の注意を拂つて聞いてゐたが、なまじい酒を飲ましたためか、今日は何時もより氣燄《きえん》だの愚痴だのが多くつて、例のやうに純粋の興味が湧かないのを残念に思つた。好い加減に酒を切り上げて見たが、矢つ張り物足らなかつた。夫で新しく入れた茶を勧めながら、
「貴方の経歴談は何時聞いても面白い。夫許でなく、僕のやうな世間見ずは、御話を伺ふたんびに利益を得ると思つて感謝してゐるんだが、貴方が今迄遣つて来た生活のうちで、最も愉快だつたのは何ですか」と聞いて見た。森本は熱い茶を吹き吹き、少し充血した眼を二三度ぱちつかせて黙つてゐた。やがて深い湯呑を干して仕舞ふと、斯う云つた。
「さうですね。遣つた後で考へると、みんな面白いし、又みんな詰らないし、自分ぢや一寸見分が付かないんだが。――全體愉快つてえのは、その、女氣のある方を指すんですか」

（夏目漱石『彼岸過迄』資料No.69）

様々な話を聞きたいとお酒に誘っている。しかし、なまじい酒（飲ませるべきではなかった酒）になった。結局、酔って愚痴などを聞く羽目になり、有意義な経歴談を聞くことができなかった。お酒を切り上げたが、もっと話を聞きたかったのである。そして、お茶を勧めている。コミュニケーション目的のためにお茶に誘ったと考えられる。

森本の描写からは、熱いお茶に息を吹いて冷まし、大きめの湯呑のお茶を飲み、酔いを醒ましたかのように話を再開した様子がわかる。お茶には酔いを醒ます効果があることも確認される。

②「男女の組み合わせ」のコミュニケーション目的

「どうです。もう廢して、一所に出ちや。精養軒で御茶でも上げます。なに私は用があるから、どうせ一寸行かなければならない。―會の事でね、マネジヤーに相談して置きたい事がある。懇意の男だから。―今丁度御茶に好い時分です。もう少しするとね、御茶には遅し晩餐には早し、中途半端になる。どうです。一所に入らつしやいな」

（夏目漱石『三四郎』資料No.24）

お茶の時間に良いからと、お茶を口実に誘っている。二人で会いたいという思いが感じられる。お茶でもの「でも」は、～くらいのという簡単なものの例えである。ただし、精養軒は名のある西洋料理店（フランス料理）であり、本来、食事をするところであることから、誘った方は、本当は夕食を共にしたいと考えている。強い好意の現れであり、自分の懇意の同性の人物との同席に誘う意味は、特別な存在であることを示したいという意図が読み取られる。

「いらっしゃいな」の「な」は終助詞である。『明鏡国語辞典』[21]によれば「親しみを込めて、相手の注意を引きつける」という意味である。聞き手に対する発話態度を表すモダリティの働きかけで勧誘・願望を表現している。

(6) 安息

昨夕は妙な氣持ちがした。

宿へ着いたのは夜の八時頃であつたから、家の具合庭の作り方は無論、東西の区別さへわからなかつた。何だか廻廊の様な所をしきりに引き廻されて、仕舞に六畳程の小さな座敷へ入れられた。昔し来た時とは丸で見當が違ふ。晩餐を済まして、湯に入つて、室へ帰つて茶を飲んで居ると、小女が来て床を延べよかと云ふ。

不思議に思つたのは、宿へ着いた時の取次も、晩食の給仕も、湯壺への案内も、床を敷く面倒も、悉く此小女一人で弁じて居る。それで口は滅多にきかぬ。と云ふて、田舎染みても居らぬ。赤い帯を色氣なく結んで、古風な紙燭をつけて、廊下の様な、梯子段の様な所をぐるぐる廻はされた時、同じ帯の同じ紙燭で、同じ廊下とも階段ともつかぬ所を、何度も降りて、湯壺へ連れて行かれた時は、既に自分ながら、カンヴァスの中を往来して居る様な氣がした。


（夏目漱石『草枕』資料No.27）


「室に帰って茶を飲んでいると」は、部屋でいれたお茶をただ飲んでいるのである。湯上りということから、水分を欲したとも考えられるが、目的としては考えにくい。一人の時間にゆっくりとお茶でも飲もうと考えたのではないかと思われる。自分が飲みたいときに飲むお茶で安息目的と考えられる。

「茶を飲んで居ると」という描写は、昨夕の宿での出来事がすべて連れ廻されたという受身的な行動に対し、自発的な行動で対比している。

小女の描写も、広い屋敷に対して一人や小さいものとして対象的であり対比し、「赤い帯を色気なく結んで」「口は滅多にきかぬ」「田舎染みてもおらぬ」という表現からは、小女でありながら人間味がなくあたかも機械的な人形のような印象をもたせている。そして、それに相反するように「古風な紙燭」が二項対立として、小女の存在をより現実ばなれしたものに感じさせる。

カンヴァスの中を往来している様な気がしたとあるのも、別世界・非現実の世界をあらわしているといえる。

お茶を飲んでいることは現実の世界であり、お茶を飲むことで思考を働かせ、回想している。精神的に落ち着いているようにも捉えられる。

（7）独座

> 與次郎はやがて、袴を穿いて、改まつて出て来て、「一寸行つて参ります」と云ふ。先生は黙つて茶を飲んでいる。二人は表へ出た。表はもう暗い。門を離れて二三間来ると、三四郎はすぐ話かけた。
>
> （夏目漱石『三四郎』資料No.23）

「行ってまいります」という発話に対して「行ってらっしゃい」などの返答があるものだが、先生は黙ってお茶を飲んでいる。非言語の意思表示とも考えられる。例えば、外出することを快く思っていない可能性が考えられる。

お茶を飲むことで黙ることに不自然さを感じさせずに、無関心を装えるのである。お茶を飲んでいるようにカモフラージュができる。他者を隔てることができるとも言える。さらに、心の内を隠す、悟られないようにできる。

お茶を飲むことで鎮静される。平静を装うことができると考えられる。

(8) その他

お茶の飲用要因の中で18%を占めた。この中では、過去の出来事や思い出の回想としてお茶にまつわる状況が見られた。飲用要因としては志向とも考えられるが、回想の中でお茶が語彙として事実記述の「状況設定」となっているため直接的な飲用要因とは分けるべきと考えた。

例えば、「過去の出来事」資料№12、「思い出」資料№4の場面である。お茶が過去のある時点において、語彙として文脈的意味をなしている。時間移動をともない客観的事実として、その時の情景を映し出しているといえる。

その他の事例としては、「お茶を入れるため」資料№80や「雨宿り」資料№26という目的も存在した。

①**状況設定**（過去の出来事）

「何ですか其面白かつたものは」「云つて見ませうか」「云つて御覧なさい」「あの、皆して御茶を飲んだでせう」「えゝ、あの御茶が面白かつたんですか」「御茶ぢやないんです。御茶ぢやないんですけれどもね」「あゝ」「あの時小野さんが居らしたでせう」「えゝ、居ました」「美しい方を連れて居らしたでせう」

（夏目漱石『虞美人草』資料No.12）

甲野さんと糸子の会話である。博覧会でお茶を飲んだときのことを話している。糸子は偶然に小野さんと同席の美しい女性を目にしたときのことを話している。糸子の兄がその女性を以前何度か見たことがあると言っていたことで、その偶然が面白いと言っているのである。お茶が縁を作り出している。

②**状況設定**（思い出）

狂ふ指の、憂き晝《ひる》を、苦茶苦茶に揉みこなしたと思ふ頃、阿父様は御苦労と手づから御茶を入れて下さつた。京は春の、雨の、琴の京である。なかでも琴は京に能う似合ふ。琴の好きな自分は、矢張り静かな京に住むが分である。

（夏目漱石『虞美人草』資料No.4）

琴の練習で上手に弾けなかったとき、父が慰労にお茶を入れてくれた事実記述である。回想しながら、自身のことと客観視している。琴は古風な女性を象徴し、都会的な東京は自分に合わない。つまり「小野さんとは不釣り合いである」と自分に言い聞かせているように感じられる。

③お茶をいれるため

> 明くる日は囲炉裏の縁に乗つたなり、一日唸つてゐた。茶を注いだり、薬罐を取つたりするのが氣味が悪い様であつた。が、夜になると猫の事は自分も妻も丸で忘れて仕舞つた。
> （夏目漱石『永日小品「猫の墓」』資料No.80）

囲炉裏は家族が集まる場所である。飼い猫は具合が悪く唸っている。猫は暖かい囲炉裏の縁で何か痛みを緩和しようとしていたのかもしれない。囲炉裏の縁は、暖かな場所の縁であることから「生」の縁にいると考えた。つまり猫の「死」が近いと意味づけられる。家人は囲炉裏でお湯を沸かすための薬缶を扱い、お茶を入れる際にその場に接するため、猫の様子を気味悪く感じていた。

④雨宿り

> 「御婆さん、此所を一寸借りたよ」

「はい、是は、一向存じませんで」

「大分降つたね」

「生憎な御天氣で、さぞ御困りで御座んしよ。おゝおお大分御濡れなさつた。今火を焚いて乾かして上げましよ」

「そこをもう少し燃し付けてくれゝば、あたりながら乾かすよ。どうも少し休んだら寒くなつた」

「へえ、只今焚いて上げます。まあ御茶を一つ」

（略）

「まあ一つ」と婆さんはいつの間にか刳り抜き盆の上に茶碗をのせて出す。茶の色の黒く焦げて居る底に、一筆がきの梅の花が三輪無雑作に焼き付けられて居る。

「御菓子を」と今度は鶏の踏みつけた胡麻ねぢと微塵棒を持つてくる。糞はどこぞに着いて居らぬかと眺めて見たが、それは箱のなかに取り残されてゐた。

婆さんは袖無しの上から、襷をかけて、竈の前へうづくまる。余は懐から写生帖を取り出して、婆さんの横顔を寫しながら、話しをしかける。

（夏目漱石『草枕』資料No.26）


お茶を飲む動機は、雨宿りのために茶店に入ったことによる。

「へえ、只今焚いて上げます。まあ御茶を一つ」は、濡れた服を焚火で乾かし、外から温まることに対し、お茶は身体の中から温めることができるものであることがわかる。「まあ御茶を一つ」という発話からは、「一つ」が副詞として用いられ「どうぞ飲んで下さい」とお茶を勧めている言語行動が確認される。遠慮がちに、相手に気持ちを伝えている。受け手も意味を理解している。高コンテクスト文化が確認される。

21 『明鏡国語辞典』第二版 大修館書店

2. 属性別お茶の主な飲用要因

男性が一人でお茶を飲む場合、安息目的の場面が最も多く、自宅でも外出先でもリフレッシュ、休憩、気分転換などで比較的自由にお茶を飲む時間が持たれていることがわかる。女性の場合は、本研究では見られなかった。

図6より「男女の組み合わせ」の場合、「習慣」が最も多く、次いで来客などの際に提供される「儀礼」が多い結果となった。これらは、食事や集いが家族単位で行われていると考えられる。そして、家族でお茶を飲む場所は「座敷」や「茶の間」と呼ばれた部屋であった。

家族で食卓を囲むという形態は、明治20年代以降、卓袱台の普及からといわれている（福田、2018）。明治時代の生活様式の一部と見られる。

図7より、男性同士で、「交流」が最も高く、次いで「儀礼」となった。

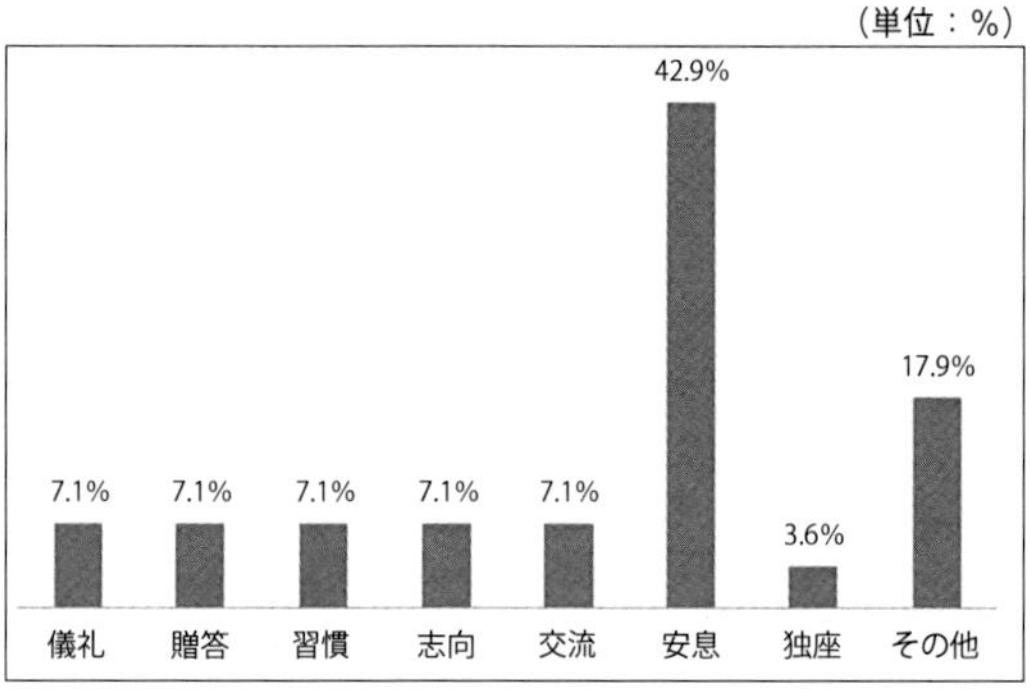

図5　一人でお茶を飲む場合（男性）

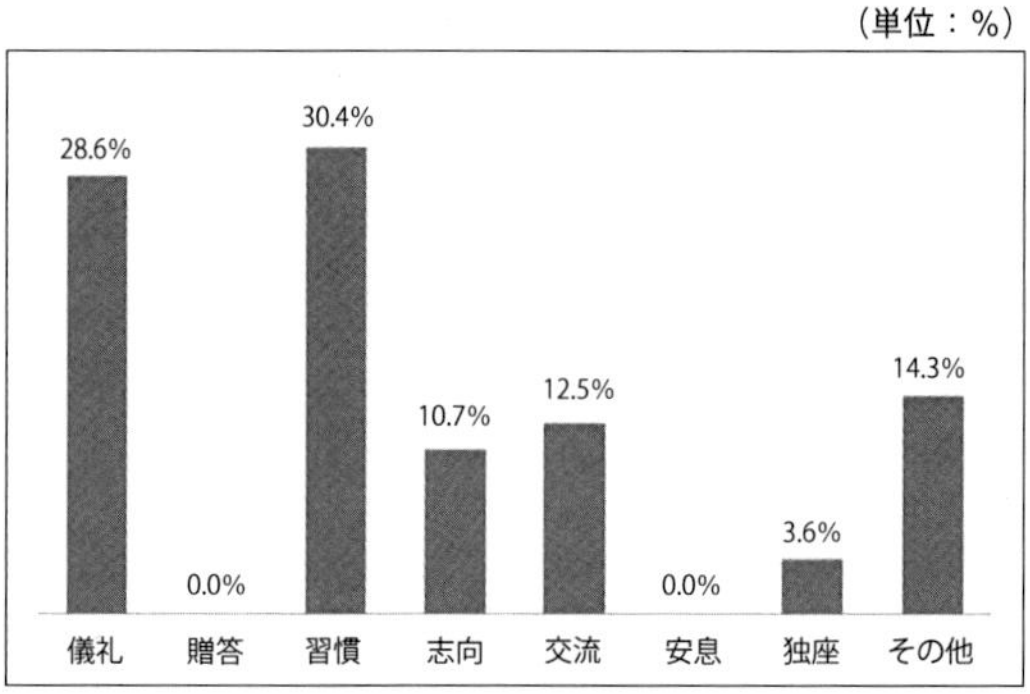

図6　男女の組み合わせ

明治30年代から40年代では、社会生活の場において男性の社交的行動範囲が女性より広いという結果が考えられる。

男性同士で「習慣」が低い値を示しているのに対し、図8に見られる女性同士では最も高い結果となった。この理由は、家庭における女性の役割が関係すると思われる。家事全般を女性が担う構図が考えられる。また、女性同士の場合、食事に限らず、母と娘という組み合わせや姉妹など家庭内での集いの場面がある。特に、家事の中で女性同士の時間が存在することが要因と

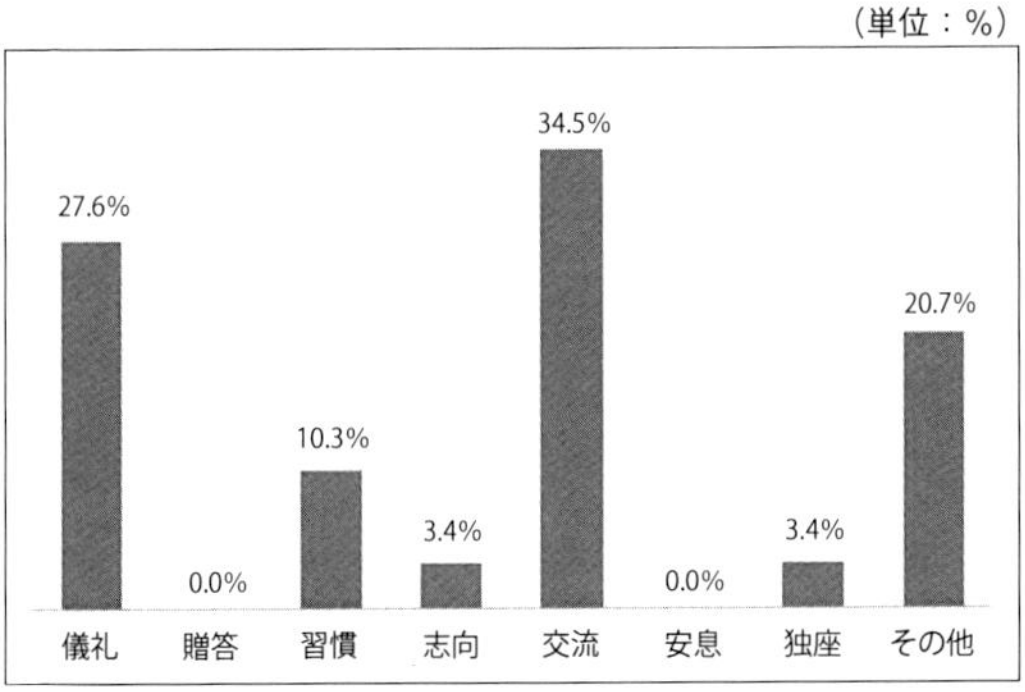

図７　男性同士の組み合わせ

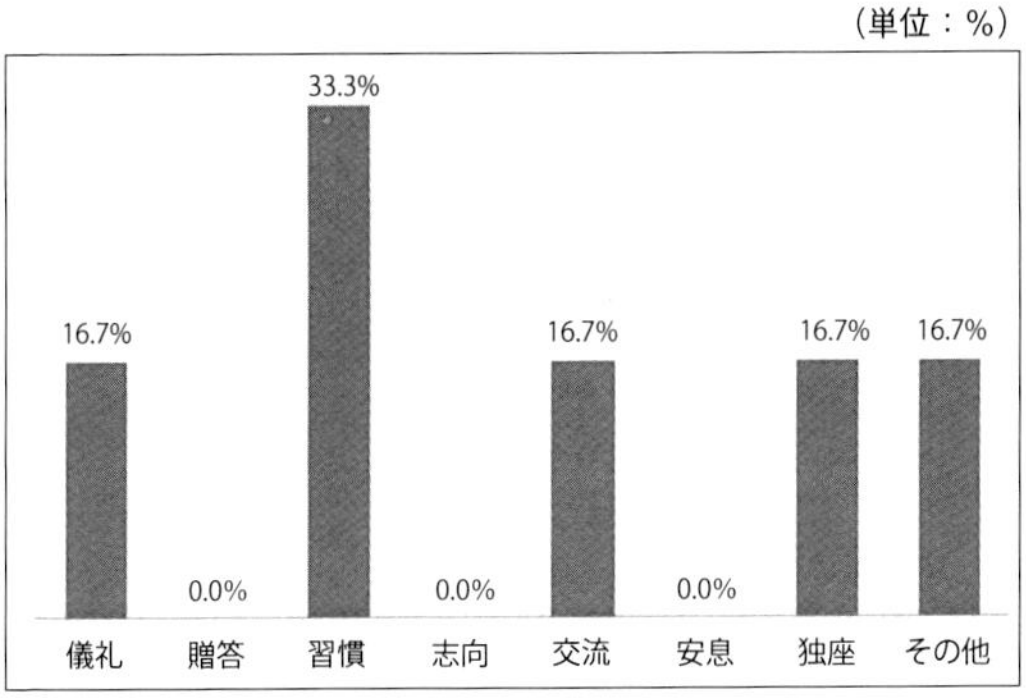

図８　女性同士の組み合わせ

思われる。男性は、仕事の他、外出の機会も多い。訪問先は知人宅などであり、来客として儀礼茶をいただく、若しくは来客とお茶を飲む機会となっていると察せられる。

第二節　お茶の可能性

1. お茶の働きについて

お茶を媒介としたコミュニケーションは、図9のように多岐にわたることが明示された。

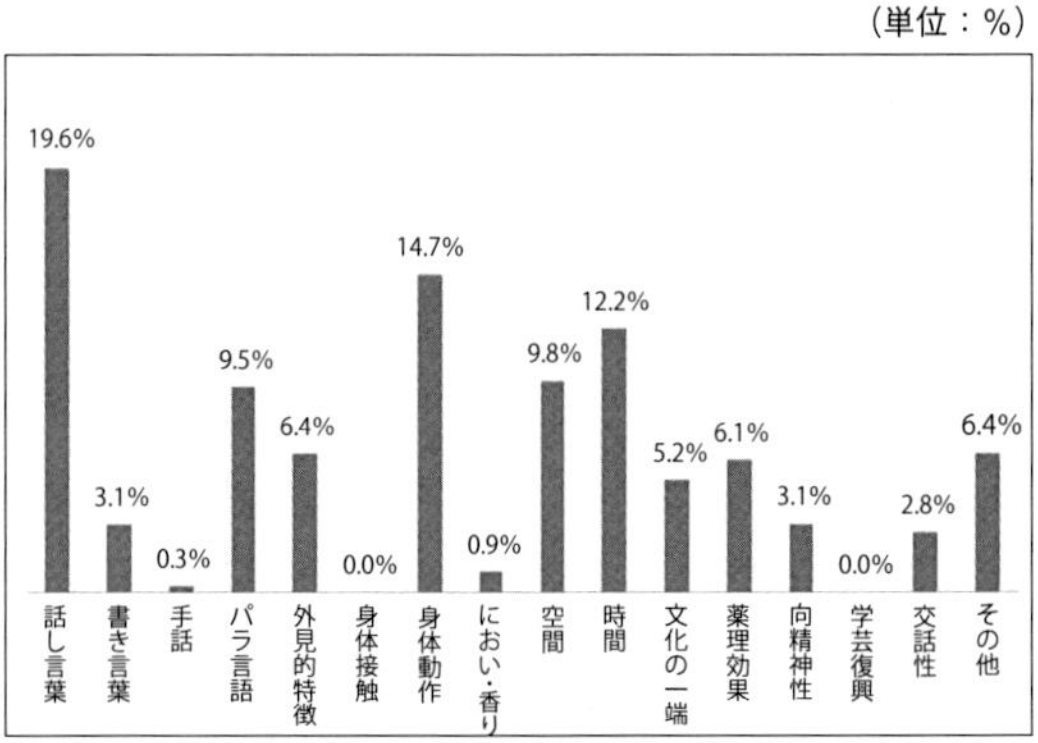

図9　お茶の働き

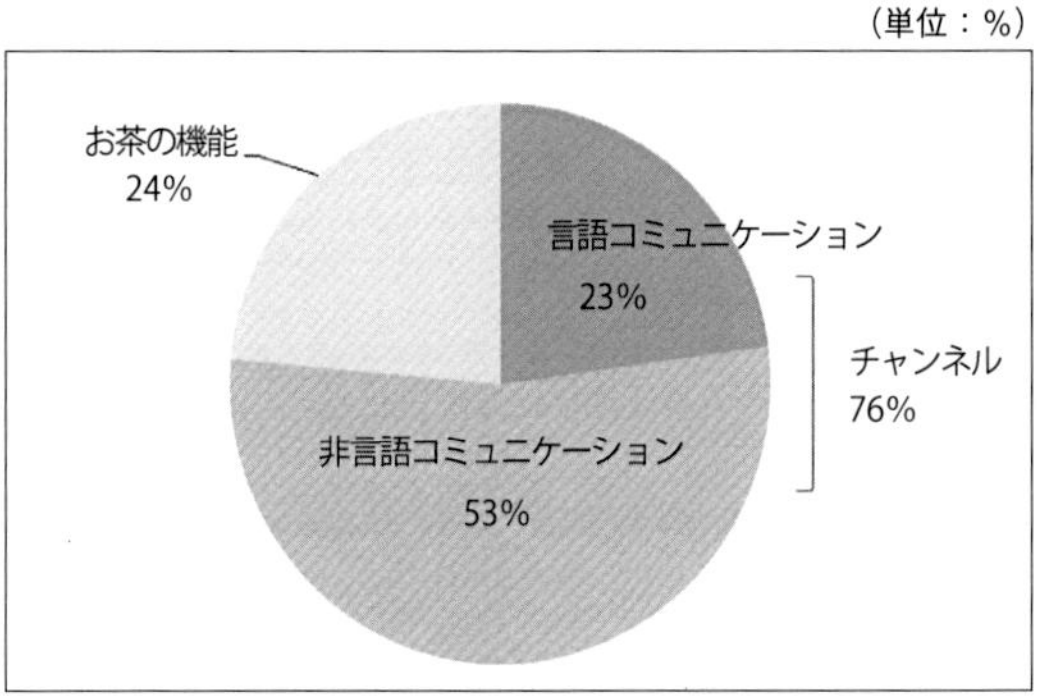

図10　お茶を媒介としたコミュニケーション

図9・10より、お茶本来の機能の他、チャンネルとしてコミュニケーション要素に影響しコミュニケーションに関与していることがわかった。

相互作用と考えられるが、結果の値において、お茶の機能（24％）よりチャンネルとしてコミュニケーション要素への働きかけ（76％）が大きいという傾向が見られた。

非言語コミュニケーション研究者バードウィステルは、二人の会話の30から35%が言語によるものであろうと報告している（Ray L. Birdwhistell, 1970）。

本研究において、表５「要因分析集計」の結果をみると、言語コミュニケーションと非言語コミュニケーションはそれぞれ30%、70%という値を示した。

コミュニケーションにおけるかなりの部分を非言語コミュニケーションが占めていることが確認された。非言語コミュニケーションの重要性が示唆されたとともに、お茶を媒介としたコミュニケーションにおいても同様の傾向が示された。

お茶の記述から集計した結果、お茶の働きとして「話し言葉が」19・6%と最も多く、次いで「身体動作」14・7%、「時間」12・2%、「空間」9・8%、「パラ言語」9・5%と続いている。

発話には何らかの意図があり、相手はそれに対して意味付けをして反応をする。「話し言葉」が最も多い結果となった理由は、ことばがコミュニケーションの媒体を選ばないということが関係しているのではないかと思われる。ことばは、身体動作を含む可能な限りの信号伝達媒体を通じ、いろいろな形で具現化されている。複数のチャンネルが同時に使われていることが検証された。

多種多様な非言語コミュニケーションにおいて「表情」は、性別や年齢といった生物学的属性、口の動きが示す発話情報、人物の社会的属性、情動・意図・関心等の心理状態など非常に多くの情報が含まれている。そして、普遍性という特徴をもつ。表情は他の非言語コミュニケーションと共に用いられることによって、より多くの情報を含む（髙木、２００６）。

特筆すべき点は、「時間」と「空間」が韻律素性、周辺言語などの「パラ言語」を若干上回ったことである。要因は、お茶が媒介したことと深く関係があると読み説くことができよう。

次に、各項目の用例を挙げる。

（1）話し言葉

資料№79の記述は、泥棒の被害にあった家人の刑事に対する発話と行動が描写されている。家人は刑事に儀礼的なお茶を出したのではない。

お茶が介在し、言語コミュニケーション要素に働きかけた用例と思われる。

> 昼過には刑事が来た。座敷へ上つて色々見てゐる。桶の中に蝋燭でも立てゝ仕事をしやしないかと云つて、台所の小桶迄検べてゐた。まあ御茶でも御上がんなさいと云つて、日當りの好い茶の間へ坐らせて話をした。
>
> （夏目漱石『永日小品「泥棒」』資料№79）

「桶の中に蝋燭でも立てて」とは、ありえないようなことまで調べていることの例えである。刑事に対して「まぁ、お茶でも御上がんなさい」という発話は、被害者の立場から普通は出ないものと考えられる。「日当たりの良い茶の間」とは、穏やかな団欒の空間のことである。場所をかえてお茶をすすめていることが読み取られる。刑事を「坐らせる」と使役表現で描写していることからも、泥棒にあったことの緊迫感は感じられない。会話を促すと同時に刑事を落着かせるためのお茶であることがわかる。

（2）書き言葉

手紙は、言語活動のなかの書き言葉の一種である。直接会って話す代わりに書き送る。言葉を綴った内容の他、文体、墨の濃淡、文字の大きさ、筆圧、使用される便箋や筆記用具のありとあらゆるメッセージが非言語コミュニケーション要素として含まれている。多くの場合、相手が特定される。

手紙の用例を次の資料No.42に示す。（手紙は差出人が匿名であった）

> （略）業尽きて何物をか遺す。苦沙彌先生よろしく御茶でも上がれ。…（略）
>
> 手紙の一部（夏目漱石『吾輩は猫である』資料No.42）

「御茶でも上がれ」と依頼表現で記されている。助言を施す親しい間柄である人物からの手紙と想像される。「御茶でも上がれ」とは、禅語の『喫茶去』による。『広辞苑』[22]によれば、「（仏）禅語。お茶でも飲んで来いの意。もともと相手を叱咤する語であるが、後には「お茶でも召し上がれ」の意に解され、日常即仏法の境地を示す語と解された。」とある。

引用短言であり、短言の特徴の一つとしてのユーモアが感じられる。

コミュニケーションチャンネルである「手紙」を用い、相手に寄り添った書き言葉と、同時に、お茶を勧めて気分転換を施している。お茶の特徴である鎮静効果、向精神性などの要素が含まれ、薬の処方のようで非常に効果的な伝達であると思われた。

（３）手話

「手話」には発することばからの制約という側面がある。サインランゲージであるため、手の動きは身体動作など非言語コミュニケーション要素にも、言語的コミュニケーション要素にも使用することができ、類似している点がある。

> 飯になつた時、奥さんは傍に坐つてゐる下女を次へ立たせて、自分で給仕の役をつとめた。これが表立たない客に対する先生の家の仕来りらしかつた。始めの一二回は私も窮屈を感じたが、度数の重なるにつけ、茶碗を奥さんの前へ出すのが、何でもなくなつた。
> 「お茶？御飯？随分よく食べるのね」
> 奥さんの方でも思ひ切つて遠慮のない事を云ふことがあつた。然し其日は、時候が時候なので、そんなに調戯《からか》はれる程食慾が進まなかつた。
> （夏目漱石『こゝろ』資料No.64）

茶碗を奥さんの前に出すことは「もう一杯おかわりを」という意味である。茶碗には「お茶」か「御飯」という制約があり、それが欲しいという意味で茶碗を手に持ち、または示して前に出している。サインランゲージとして解釈した。

「度数の重なるにつけ」という時間経過によって、「慣れ」から「相互理解」に繋がっている。コミュニケーションの深まりが見受けられる。しだいに先生の奥さんに対して遠慮なく申し出ることができるほど、奥さんも遠慮のない事を言うことがある「表立たない客」という関係になっている。

この資料からは、習慣として食事時にお茶が供されていることも明らかである。

（４）パラ言語（韻律素性、周辺言語）

「えゝ――　知つて――居ます」

「知つて入らつしやる。――入らつしやるでせう。あすこで皆して御茶を飲んだんです」

男は席を立ちたくなつた。女はわざと落ち付いた風を、飽く迄も粧ふ。

「大変旨《おいし》い御茶でした事。あなた、まだ御這入になつた事はないの」小野さんは黙つてゐる。

「まだ御這入にならないなら、今度是非其京都の先生を御案内なさい。私も又一《はじめ》さんに連れて行つて貰ふ積ですから」藤尾は一さんと云ふ名前を妙に響かした。

（夏目漱石『虞美人草』資料No.10）

韻律素性は、音の高さ・強勢・速さ・リズムなどを含み、言語的な意味の変化をもたらすものである（田中、１９８８）。資料No.10に見られるように、女の発話はわざと落ち着いた話口調である。発話意図は、事実の伝達ではなく、確認により相手に罪悪感をもたせる目的が見受けられる。発話内容に言外の意味がある。

周辺言語は、韻律素性に含まれない声の質、高さ、音量、声の調や間などで「感情の表質」に係るものである（田中、１９８８）。発話文のあと「女はわざと落ち着いた風を、あくまでも装う」との記述に示されるように「わざと落ちつき」を装い、本心は逆である。「声を響かせること」で感情を露わにしている。

（５）外見的特徴

> 時に突然左の横町から二人あらはれた。その一人が三四郎を見て、「おい」と云ふ。與次郎の聲は今日に限つて、几帳面である。其代り連がある。三四郎は其連を見たとき、果して日頃の推察通、青木堂で茶を飲んでゐた人が、廣田さんであると云ふ事を悟つた。此人とは水蜜桃以来妙な関係がある。ことに青木堂で茶を飲んで煙草を呑んで、自分を図書館に走らしてよりこのかた、一層よく記憶に染みてゐる。いつ見ても神主の様な顔に西洋人の鼻を付けてゐる。今日も此間の夏服で、別段寒さうな様子もない。
>
> （夏目漱石『三四郎』資料No.19）

青木堂でお茶を飲んでいた人と廣田さんとが結びついた瞬間である。「いつみても」や「寒そうな様子もない」という表現からは、何があっても変わらない様子がわかる。神主は、神社に仕えて神を祭ることを仕事とする人であることから、顔立ちにある種の尊さが感じられ、俗事に流されないような風貌に思われる。一般的に西洋人の鼻は東洋人に比べて高い。廣田さんのお茶の飲み方、顔立ちに外見的特徴を見出している。三四郎は、これらの外見的特徴から、廣田さんに対する憧れのようなものを抱いていると感じられる。

(6) 身体接触

「身体接触」は本研究では見られなかった。

一般に、お茶をいれる、飲むという双方の状況からは、身体接触の機会はかなり少ないことが伺える。

(7) 身体動作

「身体動作」は発話に付随する身体の動きそのものが言語信号となっている。

資料No.15を例に見ると、下女がお茶を持って来る前後で、三四郎の身体動作が顕著に現れている。

> 三四郎は鳥渡《ちょっと》振返《ふりかへ》つて、一口女にどうですと相談したが、女は結構だといふんで、思ひ切てずつと這入つた。上り口で二人連ではないと断る筈の所を、入らつしやい、—どうぞ御上り—御案内—梅の四番などとのべつに喋舌《しゃべ》られたので、已を得ず無言の儘二人共梅の四番へ通されて仕舞つた。
> 　下女が茶を持つてくる間二人はぼんやり向ひ合つて坐つてゐた。下女が茶を持つて来て、御風呂をと云つた時は、もう此婦人は自分の連ではないと断る丈の勇氣が出なかつた。そこで手拭をぶら

下げて、御先へと挨拶をして、風呂場へ出て行つた。

（夏目漱石『三四郎』資料No.15）

「ぼんやり向かい合って座っている」という描写からは、発話はない。しかし、ことばをつかわなくともコミュニケーションが行われていることも伺える。例えば、「このままどうしよう」、「どう思っているんだろう」などが考えられる。また、本人の意識、視線、無気力な様子など、身体動作のみならず表情、しぐさをはじめ、意識的・無意識的にさまざまな信号伝達媒体を同時に使用していることが確認される。

お茶が介在したことで、間（時間）をもたせている。そして、それは次の行動を促すきっかけとなっている。三四郎の「御先へ」と発話をともなった身体動作が確認される。「空間」についても、「下女が茶を持って来る『間』」や「梅の四番」に見られる。「間」には、時間移動が伴っている。下女が茶を持って来る間に包含されている。そして、部屋という空間の中では、向かい合うふたりの対人距離が存在している。

（8）におい・香り

御茶の御馳走になる。相客は僧一人、観海寺の和尚で名は大徹と云ふさうだ。俗一人、二十四五の若い男である。

（略）「今日は久し振りで、うちへ御客が見えたから、御茶を上げやうと思つて、……」と坊さんの方を向くと、

「いや、御使をありがたう。わしも、大分御無沙汰をしたから、今日位来て見やうかと思つとつた所ぢや」と云ふ。此僧は六十近い、丸顔の、達磨を草書に崩した様な容貌を有してゐる。老人とは平常からの昵懇と見える。

「此方が御客さんかな」

老人は首肯ながら、朱泥の急須から、緑を含む琥珀色の玉液を、二三滴づゝ、茶碗の底へしたゝらす。清い香りがかすかに鼻を襲う氣分がした。

「こんな田舎に一人では御淋しかろ」と和尚はすぐに余に話しかけた。


（夏目漱石『草枕』資料No.31）


「清い香りがかすかに鼻を襲う氣分がした。」と、空間で香りを感じ取っている。「清い香り」はお茶の個性と考えられる。同時にお茶を選び茶席を開催した「主人（老人）」を表す非言語コミュニケーション要素と考えられる。

「朱泥の急須から、緑を含む琥珀色の玉液を二三滴ずつ、茶碗の底へしたたらす」という描写からは、お茶の種類が「玉露」であることがわかる。

玉露は、覆下園（日覆をした）茶樹の若葉から製した茶で独特の覆香と呼ばれる香りと甘み旨みが特徴的な上等な緑茶として知られる。このように、におい・香りはそれ自体で個性を表す。

「御茶を上げる」とは「御茶会をとり行う」ことを意味している。

茶席で会話が続いている。「和尚はすぐに余に話しかけた。」という発話行為は、御客に対しての気遣い、好意、興味などがあると察せられ、コミュニケーションが促進されていることを読み取ることができる。

（9）空間

> 縁に遅日多し、世を只管《ひたすら》に寒がる人は、端近く絣の前を合せる。乱菊に襟晴れがましきを豊なる顎に壓《お》し付けて、面と向ふ障子の明なるを眩く思ふ女は入口に控へる。八畳の座敷は眇《べう》たる二人を離れ離れに容れて廣過ぎる。間は六尺もある。
>
> 忽然として黑田さんが現れた。小倉の襞《ひだ》を飽く迄潰した袴の裾から赤黒い足をにょきにょきと運ばして、茶を持つて来る。煙草盆を持つて来る。菓子鉢を持つて来る。六尺の距離は格《かた》の如く埋められて、主客の位地は辛うじて、接待の道具で繫がれる。忽然として午睡の夢から起きた黑田さんは器械的に縁の糸を二人の間に渡した儘、朦朧たる精神を毬栗頭の中に封じ込めて、再び書生部屋へ引き下がる。あとは故の空屋敷となる。
>
> （夏目漱石『虞美人草』資料No.11）

資料№11に見られる「空間」は、八畳の座敷である。糸子と甲野さんの二人には広すぎるようであった。そこへ、書生の黒田さんが甲野さんにお茶を運び、お茶の道具によって二人の距離が近くなり縁が繋がったのである。

非言語コミュニケーションの要素である「時間」と「空間」は、「人」と「お茶」が介在することにより、コミュニケーションに重要な他者理解に繋がる「共感」を生む基盤となっていると考えられる。

(10) 時間

「ふん、さうか―さあ御茶が注げたから、一杯」と老人は茶碗を各自の前に置く。茶の量は三四滴に過ぎぬが、茶碗は頗る大きい。生壁色の地へ、焦げた丹と、薄い黄で、絵だか、模様だか、鬼の面の模様になりかゝつた所か、一寸見當の付かないものが、べたに描いてある。

「杢兵衛です」と老人が簡単に説明した。

「是は面白い」と余も簡単に賞めた。

「杢兵衛はどうも偽物が多くて、―その糸底を見て御覧なさい。銘があるから」と云ふ。

取り上げて、障子の方へ向けて見る。障子には植木鉢の葉蘭の影が暖かさうに寫つて居る。首を曲げて、覗き込むと、杢の字が小さく見える。銘は鑑賞の上に於て、左のみ大切のものとは思はないが、好事者は余程是が氣にかゝるさうだ。茶碗を下へ置かないで、其儘口へつけた。濃く甘く、湯加減に出た、重い露を、舌の先へ一しづく宛落として味つて見るのは閑人適意の韻事である。普通の人は茶を飲むものと心得て居るが、あれは間違だ。舌頭へぽたりと載せて、清いものが四方へ散れば咽喉へ下るべき液は殆どない。只馥郁たる匂が食道から胃のなかへ沁み渡るのみである。歯を用ゐるは卑しい。水はあまりに軽い。玉露に至つては濃かなる事、淡水の境を脱して、顎を疲らす程の硬さを知らず。結構な飲料である。眠られぬと訴ふるものあらば、眠らぬも、茶を用ゐよと勧めたい。

　老人はいつの間にやら、青玉の菓子皿を出した。大きな塊を、かく迄薄く、かく迄規則正しく、刳りぬいた匠人の手際は驚くべきものと思ふ。すかして見ると春の日影は一面に射し込んで、射し込んだ儘、逃がれ出づる路を失つた様な感じである。中には何も盛らぬがいゝ。（略）「支那の方へ御出でゞすか」と余は一寸聞いて見た。

「えゝ」えゝの二字では少し物足らなかつたが、其上掘つて聞く必要もないから控へた。障子を見ると、蘭の影が少し位置を変へて居る。

「なあに、あなた。矢張り今度の戦争で――これがもと志願兵をやつたものだから、それで召集されたので」（略）耳をそばだつれば彼が胸に打つ心臓の鼓動さへ聞き得る程近くに坐つて居る。其鼓動のうちには、百里の平野を捲く高き潮が今既に響いて居るかも知れぬ。運命は卒然として此二人

を一堂のうちに会したるのみにて、其他には何事も語らぬ。（夏目漱石『草枕』資料No.32）

「時間」については、自らの精神世界と思われる。相手とのコミュニケーションは「時間の共有」であると考えた。

お茶に使われている茶器に関する会話から骨董の披露と展開していく。障子に映る影が暖かそうな様子からは、春の穏やかな陽射しが想像され、後に蘭の影が少し位置を変えていく。時間の経過が記されている。

この時間の経過は同時に青年の運命を示唆していると思われる。「葉蘭」と同音異義語に「波乱」がある。日影の描写は日露戦争における日本の情勢を想起させる。戦争にいく青年の姿は戦国時代の武将の茶の湯と等しいものである。

「運命は卒然としてこの二人を一堂のうちに会したるのみにて、その他には何事も語らぬ。」という描写からは、お茶の時間を共に過ごしたひとときは、まさに「一期一会」である。「何事も語らぬ」ことは、同じ空間でお茶を一緒に飲んでいるという時間の共有がお互いの認識として、それぞれに存在しているので会話は不要と考えられる。ことばを発しなくてもコミュニケーションが行われていることがわかる。そして、お茶がことばの代わりになっていると推測される。

お茶によって、時間概念が現実と非現実に意識付けられている。お茶を飲んでいる時間は穏やかな今の現実であり、お茶を飲み終え御茶会も終わったときは相客との別れの時である。

時間を共有することで、相手との共感が生まれている。お茶が媒介することで、非言語コミュニケーション要素である空間、時間に働きかけ、その空間と時間の中でコミュニケーションが展開されていることが示されている。

2. お茶の機能「その他」の項目について

「その他」の内容には、「罪悪感を持たせることが目的（資料№10）」、「骨董を買わせることが目的（資料№74）」など、別の意図が存在する例が確認された。また、回想によって「お茶のある時間と空間に触れたもの（資料№85）」、その他「噂（資料№39）」、「発見（資料№51）」なども見られた。これらは、コミュニケーションの前段階となり得る状況であった。

間接的発話行為の例として、次の資料№10、資料№74を提示する。

> 「えゝ——知つて——居ます」
> 「知つて入らつしやる。——入らつしやるでせう。あすこで皆して御茶を飲んだんです」
> 男は席を立ちたくなつた。女はわざと落ち付いた風を、飽く迄も粧ふ。
> 「大変旨《おいし》い御茶でした事。あなた、まだ御這入になつた事はないの」小野さんは黙つてゐる。
> 「まだ御這入にならないなら、今度是非其京都の先生を御案内なさい。私も又一《はじめ》さんに連れて行つて貰ふ積ですから」藤尾は一さんと云ふ名前を妙に響かした。（夏目漱石『虞美人草』資料№10）

「大変おいしいお茶でした事」とは、お茶を飲んだお店とお茶の感想の伝達に対し、発話意図は、例えば、「美しい女性と睦まじくお茶を飲んでいたでしょう」と確認し、罪悪感を持たせることを目的としている。

資料No.74に見られる「お茶を入れましょう」は、提供の申し出である。しかし、お茶をコミュニケーションの糸口としつつ、発話意図は勧誘である。「骨董を買わせること」が言外の意味であることがわかる。

> 夫からうちへ帰つてくると、宿の亭主が御茶を入れませうと云つてやつて来る。御茶を入れると云ふから御馳走をするのかと思ふと、おれの茶を遠慮なく入れて自分が飲むのだ。此様子では留守中も勝手に御茶を入れませうを一人で履行して居るかも知れない。亭主が云ふには手前は書画骨董がすきで、とうとうこんな商売を内々で始める様になりました。あなたも御見受申す所大分御風流で居らつしやるらしい。ちと道楽に御始めなすつては如何ですと、飛んでもない勧誘をやる。
>
> （夏目漱石『坊つちゃん』資料No.74）

お茶が別の目的のために間接的に働きかけていると考えられる。人間関係の配慮と受け取ることが可能であり、一種の意図のストラテジーと換言できる。

資料No.85は、子どもの頃に寄席（日本橋の瀬戸物町にある伊勢本）に行ったときのことを回想している。中入とは途中でしばらく休憩することである。その間にお茶が売られる様子が描写されている。

> 中入になると、菓子を箱入りの儘茶を売る男が客の間へ配つて歩くのが此席の習慣になつてゐた。箱は浅い長方形のもので、まづ誰でも欲しいと思ふ人の手の届く所に一つと云つた風に都合よく置かれるのである。菓子の数は一箱に十位の割だつたかと思ふが、それを食べたい丈食べて、後から其代價を箱の中に入れるのが無言の規約になつてゐた。私は其頃此習慣を珍しいものゝやうに興がつて眺めてゐたが、今となつて見ると、斯うした鷹揚で呑氣な氣分は、何處の人寄場へ行つても、もう味はう事が出来まいと思ふと、それが又何となく懐しい。
>
> （夏目漱石『硝子戸の中』資料No.85）

明治時代の興行の場にお茶が存在していたことがわかる。また、お茶と共にお茶請けが用意されている。日常において、お茶とお菓子が身近なものであったことがわかる。当時、代金は、後払いの自己申告制のようである。つまり、お客を信用している、正直な人間ばかりなのか、菓子がなくなっても問題にしない平和な世の中であったと想像される。そして、その時の雰囲気を「鷹揚で呑気」という表現を用い、鷹が空を悠々と飛び、何も恐れない落ち着いた気分で表現している。今は逆の状態であることがわかる。当時を懐かしんでいる。

22 『広辞苑』第七版 岩波書店

第三節　茶器のメタファー表現

茶器を人物のメタファーとして用いた表現が見られた。以下の（1）～（6）について茶器は人を表し、茶の描写は発話内容や心理描写、展開を想起させるものであった。メタファー形成要因は、茶器の産地・外観という内面的要素・視覚的要素をはじめ、茶葉から抽出されるお茶に現れる味・香り・色など茶の特徴にあたる感覚的要素が人格形成・性格・身体性など人の構造と類似し対応することが挙げられる。

*文学作品中の登場人物

（1）相馬焼の茶碗

*（津田君）

「丸で御話にも何もなりやしない。所で近頃僕の家の近邊で野良犬が遠吠をやり出したんだ。……」

「犬の遠吠と婆さんとは何か関係があるのかい。僕には連想さへ浮ばんが」と津田君は如何に得意の心理学でも是は説明が出来悪いと一寸眉を寄せる。余はわざと落ち付き拂つて御茶を一杯と云ふ。(1)**相馬焼の茶碗**は安くて俗な者である。もとは貧乏士族が内職に焼いたとさへ傳聞して居る。津田君が三十匁の出殻を浪々此安茶碗についでくれた時余は何となく厭な心持がして飲む氣がしなくなつた。茶碗の底を見ると狩野法眼元信流の馬が勢よく跳ねて居る。安いに似合はず活発な馬だと感心はしたが、馬に感心したからと云つて飲みたくない茶を飲む義理もあるまいと思つて茶碗は手に取らなかつた。

「さあ飲み給へ」と津田君が促す。

「此馬は中々勢がいゝ。あの尻尾を振つて鬣《たてがみ》を乱して居る所は野馬だね」と茶を飲まない代りに馬を賞めてやつた。

「冗談ぢやない、婆さんが急に犬になるかと、思ふと、犬が急に馬になるのは烈しい。夫からどうしたんだ」と頻りに後を聞きたがる。茶は飲まんでも差し支へない事となる。

（夏目漱石『琴のそら音』資料No.92）

「よく注意し給え」と二句目は低い声で云つた。初めの大きな声に反して此低い声が耳の底をつき抜けて頭の中へしんと浸み込んだ様な氣持がする。何故だか分らない。細い針は根迄這入る、低くても透る声は骨に答へるのであらう。碧瑠璃の大空に瞳程な黒き点をはたと打たれた様な心持ちである。消えて失せるか、溶けて流れるか、武庫山卸しにならぬとも限らぬ。此瞳程な点の運命は是から津田君の説明で決せられるのである。余は覚えず（1）**相馬焼の茶碗**を取り上げて冷たき茶を一時にぐつと飲み干した。

「注意せんといかんよ」と津田君は再び同じ事を同じ調子で繰り返す。瞳程な点が一段の黒味を増す。然し流れるとも廣がるとも片付かず。
(夏目漱石『琴のそら音』資料No.93)

津田君が「僕には連想さへ浮かばんが」と説明の出来が悪いと一寸眉を寄せる。言語表現と共に表情で表された非言語非音声メッセージが続いている。接続助詞「が」が終助詞のように用いられ、後述の「如何に得意の心理学でも是は説明が出来悪い」が表情に含意されている。言いさし表現ではっきり言うことを控え逆説をあらわしている。主人公は、あえて相手の返答に何も感じないふりをしている。落ち着いたように振る舞い、お茶を一杯と発話している。この場合の「お茶を一杯」は、「相手の意見を伺う」という意味転移と考えられる。

茶碗を人格を有する「者」と表現されていることにも茶碗の人格化が現れている。相馬焼の茶碗は津田君であると考えられる。

安っぽい茶碗に粗末な番茶の出涸らしを注がれ、お茶を飲む気持ちがなくなっている。津田君の人間性に信頼はないわけではないが、津田君に聞いてもしかたがないとの推意を含んでいる。

湯呑を人とすれば、お茶はことばと仮定される。「さあ飲み給え」は「聞き給え」と換言できよう。

主人公は、自らお茶を求めていたにもかかわらず湯呑の見込みの馬の絵について返答し、お茶は飲まずにいた。しかし、相手にはお茶をいただいたという意味に変り、飲まずして相手を納得させている。津田君はその後、「頻りに後を聞きたがる。」と会話の流れが変わっている。

雲一つなく青く澄んだ大空の中の瞳程の黒点は、到底わかるはずのないところであり、そこを突かれたような心持ちとは、心の中にあることを相手のことばによって確信へと意味づけられた主人公の心像をあらわしている。

冷たき茶とは、飲み頃を過ぎ、冷めておいしくないお茶である。時間の経過は説明の長さが伺える。一度は聞くまでもないと飲まずに置いたお茶であり、津田君のことばと考えられる。津田君の解釈を受け入れずにはいられなくなったのである。

(2) 薩摩の急須

*(藤尾の母)

(3) 急須と同じ色の茶碗

*(藤尾)

> 「兄さんの料簡はとても分かりませんわ。然し糸子さんは兄さんの所へ来たがつてるんですよ」
> 母は鳴る鉄瓶を卸して、炭取を取り上げた。隙間なく渋の洩れた劈痕焼《ひゝやき》に、二筋三筋藍を流す波を描いて、眞白な櫻を氣儘に散らした、(2)**薩摩の急須**の中には、緑りを細く絢《より》り込んだ宇治の葉が、午の湯に腐やけた儘、ひたひたに重なり合ふて冷えてゐる。

「御茶でも入れ様かね」
「いゝえ」と藤尾は疾く抜け出した香の猶餘りあるを、⑶**急須と同じ色の茶碗**のなかに畳み込む。黄な流れの底を敲く程は、左程とも思へぬが、縁に近く漸く色を増して、濃き水は泡を面《おもて》に片寄せて動かずなる。
（夏目漱石『虞美人草』資料No.２）

薩摩の急須（薩摩焼）について、急須の中の描写が藤尾の母の思惑に相当すると考えられる。「薩摩の急須」を藤尾の母とすれば、一体を表す「急須と同じ色の茶碗」は娘の藤尾と考えられる。ひび焼は意図的にひびの模様を出している焼き物である。それは、母の本心と言動から生じる作為を示している。藍を流す波は兄や小野さんなど男性、眞白な櫻は藤尾や糸子など女性を表していると思われる。

緑りを細く絢《より》り込んだ宇治の葉という表現からは、茶葉の特徴から宇治茶の中でも上質の玉露であることがわかる。お茶の葉がふやける場合、一般に水につかって濡れる「潤」という字を使うが「腐」を用いている。陳腐、腐るという意味を連想させる。「人間が腐る」は心が曲がった腐った人物を評されるものである。お茶の葉がひたひたに重なり合って冷えている状態は母と娘の藤尾の姿である。良質なお茶が腐やけて冷えているとは、裕福な家にあっても腐った根性の母と娘によって不幸な人間関係が内在する家族の現状を表象している。

母の「お茶でもいれようかね」との申し出に娘の藤尾は断っている。

「疾く」は形容詞「とし」の連用形からの副詞である。以前に、とっくにという意味をもつ。藤尾はとっくに香りがなくなっているお茶を自ら自分の茶椀に入れている。畳み込むという表現からは、良心が既に失われていることを自覚しているがそれを肯定するかのようである。加えたお茶は色を増している、つまり、これから物事を発展、企てを想起させる。

泡は隠れていた空気が表面に出る現象である。泡は壊れやすい。計画が実行され思い通りに運ばず壊れることを暗示している。

(4) 埋木の茶托

＊(先生：小夜子の父)

(5) 京焼の染付茶碗

＊(小夜子)

「先生はどうですか」

小夜子は返事を控へて淋しく笑つた。

「先生も雑沓する所が嫌でしたね」

「どうも年を取つたもんですから」と氣の毒さうに、相手から眼を外して、畳の上に置いてある

(4) **埋木の茶托**を眺める。(5) **京焼の染付茶碗**は先から膝頭に載つてゐる。「御迷惑でしたらう」と小野さんは隠袋《ポケット》から煙草入を取り出す。闇を照す月の色に富士と三保の松原が細かに彫つてある。其松に緑の絵の具を使つたのは詩人の持物としては少し俗である。派出を好む藤尾の贈物かも知れない。

（夏目漱石『虞美人草』資料No.8）

小野さんから父の具合を尋ねられ「どうも年を取ったもんですから」と理由を述べている。「ものですから」とは、後述に言い訳、謝罪の意味を込めて言う場合に使われ、遂行動詞（とお詫びする）によって表示でき発話内行為である。小夜子は、発話の後、畳の茶托を眺めている。言動からは本心ではないことを理由に述べている心理現象と読み取ることが可能である。あきらめたような様子で自ら話をまとめようとしており、相手に対して謙虚な「外す」を使っている。反論をする場合、反発の強い意志を含む「反らす」を用いるのではないだろうか。お茶を茶托とお茶の入った湯呑に分けている。お茶に小野さんの姿が映される。小野さんの行動には心が伴っていないのである。小野さんは別の場所に気持ちが向いている。

埋木の茶托も京焼も名のある品である。埋木は、「埋もれ木」[23]と捉えると、世間に見捨てられている身の上、下積みの恵まれない境遇のたとえと理解される。染付茶碗は素焼きした焼き物に色をつけ、下絵付けとも呼ばれる。藍色のみの派手さのない絵模様である。茶托は小夜子の父であり、小夜子は京焼の染付茶碗であると考えられる。その京焼の染付茶碗は小夜子の膝の上で手に持たれている。自分をいたわる仕草と考えられよう。

（6）藤蔓の着いた大きな急須
　　＊（お米）

台所から清が出て来て、食い散らした皿小鉢を食卓ごと引いて行つた後で、御米も茶を入れ替へるために、次の間へ立つたから、兄弟は差向ひになつた。「あゝ綺麗になつた。何うも食つた後は汚いものでね」と宗助は全く食卓に未練のない顔をした。勝手の方で清がしきりに笑つてゐる。「何がそんなに可笑しいの、清」と御米が障子越に話し掛ける声が聞えた。清はへえと云つて猶笑ひ出した。兄弟は何にも云はず、半ば下女の笑い声に耳を傾けてゐた。

しばらくして、御米が菓子皿と茶盆を両手に持つて、又出て来た。(6)**藤蔓の着いた大きな急須**から、胃にも頭にも應へない番茶を、湯呑程な大きな茶碗に注いで、両人の前へ置いた。「何だつて、あんなに笑ふんだい」と夫が聞いた。けれども御米の顔は見ずに却つて菓子皿の中を覗いてゐた。「貴方があんな玩具を買つて来て、面白さうに指の先へ乗せて入らつしやるからよ。子供もない癖に」

宗助は意にも留めない様に、軽く「さうか」と云つたが、後から緩くり、「是でも元は子供が有つたんだがね」と、さも自分の言葉を味はつてゐる風に付け足して、生温い眼を挙げて細君を見た。御米はぴたりと黙つて仕舞つた。「あなた御菓子食べなくつて」と、しばらくしてから小六の方へ向いて話し掛けたが、「えゝ食べます」と言う小六の返事を聞き流して、ついと茶の間へ立つて行つた。兄弟は又差向いになつた。

（夏目漱石『門』資料No.48）

仏教説話「黒白二（こくびゃくに）鼠（そ）の喩（たとえ）」[24]によれば「藤蔓」は寿命であり「人の命」を表している。藤蔓の着いた大きな急須はお米と考えた。お米は妊娠しているのではないかと想像される。また、藤蔓はへその緒で繋がった母子を象徴していると感じられた。

胃にも頭にも応えない番茶とは、薄いお茶であったことがわかる。目覚まし薬にもならない、お茶を飲むことですっきりするような気分転換も期待できないような薄い番茶。食後のお菓子とお茶の時間に会話の機会が生じている。急須の中のお茶を子どもと仮定すれば、存在感が感じられない。夫の問にお米は、顔を見ずに答えている。子どもが無事に育つかどうかなど、何か心の中に不安があるのではないかと思われる。

23　埋（も）れ木　①久しく埋もれていて半ば炭化した木。亜炭の一種で、宮城県名取川流域のものが著名。②世間から見捨てられて顧みるものもない境遇をたとえていう。『広辞苑』第七版 岩波書店

24　知恩院　会長法話第14回「黒白二（こくびゃくに）鼠（そ）の喩（たとえ）が示すもの」https://www.chion-in.or.jp/hukyoshikai/houwa/kaityou/nakamura_290101.html（閲覧日２０２０．06．05）

結び

お茶を媒介としたコミュニケーションは多岐にわたることがわかった。

筆者は、お茶がコミュニケーションの触媒のような役割を担うと考えている。

第一章では、お茶の多様性と共通性を取り上げた。お茶の伝播を例に「文化触変」と密接に関わりがあることを例証し、様々な文化に関わる飲み物としての特性を示した。共通点として、数ある植物の中でお茶が世界中で飲用されていること、薬理効果が意図的に用いられていたことを明らかにした。加えて、お茶の一般的な製法と成分上の特徴、お茶の嗜好化について述べた。

お茶の嗜好化の促進は、薬理効果を利用されたお茶から嗜好品としてのお茶へ広がるにつれ、おいしさへの追及、目的や意味の変化、商品開発を牽引する。そして嗜好品としてのお茶は、ことばとして上位概念「飲み物」に対して下位概念にある「お茶」の持つ多義性と重なり、「お茶でもいかがですか」という発話によって、受け手が「お茶を飲みながら会話をする」、「食事に誘う」という意味を捉えることを容易とするようになったのであろう。そして、今日における健康を意識した「嗜好飲料」の普遍的位置づけにつながっていると思われる。

第二章では、ニーズとコミュニケーションを提示し、お茶が媒介となるコミュニケーションに関わる要因・背景について「時間と空間」に焦点をあてた。時間の理論を「自らの精神世界を意味化するところにある（後藤、1990）。」としたうえで、九鬼・小浜（2014）の「失われた時」と「見出された時」の回帰構造をもった「永遠に繰り返される同一的時間の観念」が人の意思に属することであることに言及した。

お茶特有の機能である「向精神性」について、「この世をどう生きるか」という心境に達する点が、禅の修行と同じ境地に達する点と互いに共通することから「茶禅一味」であるといわれる。そして、今、この瞬間は一生に一度限りである「一期一会」に導き、人の時間観念とお茶との関係を明らかにした。

空間について、先行研究の茶室の記述を提示するとともに、安藤建築による茶室を例に筆者の体験に基づいて考察した。これらのことから、空間の持つ意味を「『精神の安定』、『寄合性』、『共感力』を高める場所」と位置づけた。

対人距離の観点から、狭さには人と人を近づける利点が認められ、実質的な広さは重要な要素ではなく、「心理的距離」が介在していることが明らかとなった。

「神戸空港」の事例をあげ、香りにより特定の空間を感じさせることを示した。さらに、香りは記憶や感情と深く結びついていることが確認された。空間を含む様々なコミュニケーション要素は相互作用し密接に関係していることがわかった。

江戸時代に全盛を誇ったからくり玩具で「茶運人形」と呼ばれるお茶を運ぶ人形に着目した。茶運人形は、コミュニケーションツールとしての役割を担い、集いの場でのコミュニケーションを活発にしたと考えられる。伝える者と受け取る者の察しの文化の存在が明らかとなり、「高コンテクスト文化」といわれる日本人の世界観や心像を捉えることができた。

小笠原流煎茶道の茶会主催者へのインタビューから、「お茶があるところに人が集まり、人が集まればそこでコミュニケーションが生まれてくること」に気づいた。売茶翁を例に、お茶が人と人を繋ぎ、集うことでサロン文化が形成されることがわかった。空間と関連するお茶の寄合性が確認された。

第三章では、明治時代の作家を中心とした「文学作品のお茶に関する表現の内容分析と考察」を行った。

お茶は、お茶本来の機能に加え、飲用により①コミュニケーションのきっかけを生ずる、②コミュニケーションのチャンネルに働きかける、③コミュニケーションを促進させる、という働きを持っていることが明らかとなった。

お茶を媒介としたコミュニケーションにおいて、お茶本来の機能のほか、チャンネルとしてコミュニケーション要素に影響し、コミュニケーションに関与していることがわかった。相互作用とも考えられるが、お茶本来の機能よりチャンネルとしてコミュニケーション要素へ働きかける機能が大きいという傾向が見られた。そして、交流（コミュニケーション目的）の場面において、お茶は、間接的発話行為に関与し「意図のストラテジー」や「コミュニケーションの糸口となること」が確認された。

分析結果から、前章で述べたように、お茶の働き全体をみると「話し言葉」が最も多く、次いで

「身体動作」、「時間」、「空間」、「パラ言語」と続いた。

「話し言葉」が最も多い結果となった理由は、お茶には、挨拶同様に交話的機能があるということ、お茶が言語コミュニケーションを活発にする可能性があるということに加え、ことばがコミュニケーションの媒体を選ばないことが関係しているのではないかと思われる。ことばは、身体動作を含む可能な限りの信号伝達媒体を通じ、いろいろな形で具現化されていることである。お茶や茶器が特定の人物を表したメタファー表現として文芸作品中に見られた事例を考慮すると、お茶はその人の言葉に相当するものであると思われる。つまり、言語メッセージと同等のものと考えることができる。

茶器を人格化したメタファーとして捉まえる意味は、非言語メッセージ要素としての役割を果たすことにあると考えられる。同時に、比喩的拡張からはお茶の多義性が確認された。メタファー形成の要因は、茶器の産地・外観という内面的要素・視覚的要素をはじめ、茶葉から抽出されるお茶に現れる味・香り・色など茶の特徴にあたる感覚的要素が人格形成・性格・身体性など人の構造と類似し対応することが挙げられる。このように、メタファー表現にはその対象に対する考え方が反映される。

お茶が介在することで、コミュニケーション要素の中でも、特に「空間」と「時間」のチャンネルに作用することが示唆された。

理由は2つ考えられる。一つは、明治時代後半の生活では、お茶の飲用場面は儀礼や習慣として供されることが多いことが挙げられる。来客時にお茶を出すこと、食事の際にお茶を飲むことは、日本では慣習化されている。従って、日本の文化とも換言できる。本研究においても、文化が言語と深く関わっていることが示されたといえよう。同時に、このことから、時代のコミュニケーション行動が日本の文化として現れ、お茶を媒介としたコミュニケーションから言語行動が確認された。すなわち、主（発信者）によって出された儀礼のお茶は、「ようこそ」、「いらっしゃいませ」などと来客（受信者）へ意図的に出された発信者の記号であり、言語行動といえる。

もう一つは、時代にかかわらず、お茶は空間と時間の中に人がいなければ成り立たないからである。言わば、お茶が介在する「人間の居住空間」に時間と空間の概念が結びついている。

第一章で提示したようにお茶は生命の飲み物でもある。また、『日本語学大辞典』[25]によれば、五感とコミュニケーションの中に「飲食自体がコミュニケーションと見なされる」とあり、お茶も例外ではない。これらのことから、お茶はコミュニケーションの一端を担っていると考えられる。なお、西川（２００４）は「住むことは、生きることである。」と説いている。第二章で述べたコミュニケーションのニーズ「『生存のニーズ』、『社会のニーズ』、『成長のニーズ』（末田・福田、２０１１）」と関連が深い。人が社会で生きていくためには様々な欲求があり、その欲求を充たすためにコミュニケーションを必要としている。これらの欲求とは、マズロー（１９８７）やアルダファー（１９７２）の理論で示された人間の基本的欲求である。したがって、「この世をどう生きるか」という「茶禅一味」、「一期一会」に通ずる思考と相同性を有することが理由として考えられる。

今後の課題としては、一つの時代を網羅するような資料選定を行う必要がある。そして、通時的に同様の研究を更に続けることにより、言語行動、言語変化をはじめ、住環境との関わり、多文化共生社会が広がる今日の社会にいかなる変容が生じていくのかなどを探求し、お茶を媒介とした未来のコミュニケーションに活用できるものにしたいと考えている。今後も引き続き検討を重ねていきたい。

25 『日本語学大辞典』（2018年）日本語学会

あとがき

２０２０年、世界中は新型コロナウイルス感染拡大の真っ只中にある。コミュニケーションの手段として「リモート〜」が当たり前の時代になった。日本では、お茶に関して「リモートお茶会」という状況が生み出された。日常生活の中でソーシャルメディアを使用する環境から、ソーシャルメディアが生活の中心へと一変した。しかし、パソコン等の画面を通してもお茶を媒介としたコミュニケーションは、ソーシャルメディアの空間と時間の中に人がいなければ成り立たず、向精神性も然りである。さらに、コミュニケーションのニーズは変わらない。むしろ、閉鎖された環境下で一層求められるのではないかとさえ感じられる。

世界の国々が協力すれば、約50年後には人類が火星で生活するという時代の到来も夢ではないようである。２０２１年、日本の民間人で初めて国際宇宙ステーション（ＩＳＳ）に行った実業家の前澤友作氏は、「【宇宙でカフェ】地球を眺めながらティータイム【SPACE CAFE】Afternoon Tea With a View」と題した動画を配信した。この先、空間が宇宙のどこかであっても不思議ではないのかもしれない。

お茶がチャンネルとしてあらゆる場面で様々なコミュニケーション要素に働きかける「お茶の可能性」に興味が尽きない。

あとがき

本書を手にとってくださり、ありがとうございました。

本書は二〇二一年一月に広島大学に提出した修士論文「お茶を媒介としたコミュニケーションの社会言語学的研究」を基に上梓したものです。

多くの方々にお世話になりましたこと、ここに感謝を申し上げます。

修士論文の執筆にあたり、高永茂先生をはじめ、妹尾好信先生、劉金鵬先生、そして比較日本文化学分野の先生方にご指導、ご教示を賜りました。深く感謝申し上げます。

また、刊行に際し、風詠社の大杉剛氏、編集の富山公景氏に心から御礼を申し上げます。

最後に、いつもあたたかく見守り、様々な形で支えてくれた友人、家族に心より感謝いたします。

二〇二四年　早春

山田　貴子

引用文献・参考文献

Abraham H. Maslow 著、小口忠彦 訳（１９８７年）『人間性の心理学』産業能率大学出版 pp.55-73

荒井政治（１９８９年）「-イギリス産業革命と大衆レジャー-」『関西大学経済論集39巻』pp.115-138

荒木安正（１９９４年）『紅茶の世界』柴田書店

有田秀穂（２００９年）『共感する脳』ＰＨＰ研究所

Alderfer Clayton.P（1972）"Existence,Relatedness,and Growth:human needs in organizational settings" New York,Free Press pp.2,7,9

安藤忠雄（２０１１年）『安藤忠雄 都市と自然』エーディーエー・エディタ・トーキョー p.233

伊奈和夫、坂田完三、富田勲、伊勢村護（２００２年）『茶の化学成分と機能』弘学出版

井上次夫（２０１４年）「発話行為における『発話態度』」『奈良工業高等専門学校研究紀要 第50号』pp.12-17

今井むつみ、佐治伸郎（２０１４年）『コミュニケーションの認知科学1「言語と身体性」岩波講座』岩波書店

『岩波講座 日本語1日本語と国語学』（１９７７年）第11回配本（全12巻）岩波書店

『岩波講座 日本語2言語生活』（１９７７年）第11回配本（全12巻）岩波書店

大森正司（２０１７年）『お茶の科学』講談社

大森正司（1998年）「-日本人と茶-」『日本調理科学会誌 Vol. 31』 pp. 227-235
岡田哲（1998年）『食の文化を知る事典』東京堂出版
荻野綱男（2018年）『現代日本語学入門　改訂版』明治書院 p. 189
加藤彰彦、佐治圭三、森田良行（1989年）『日本語概説』おうふう
加藤道理（1999年）『字源物語-漢字が語る人間の文化-』明治書院
樺島忠夫（1981年）『日本語はどう変わるか-語彙と文字-』岩波書店
鎌田かをり（2017年）「茶の湯のコミュニケーション-言語よりも非言語」宝塚大学大学院メディア造形研究科造形・デザイン専攻伝統藝術研究領域学位記番号：甲第34号
九鬼周造 著、小浜義信 編者（2014年）『時間論』岩波書店
久保亜沙美・近藤加代子（2005年）「コミュニケーション行為としての飲茶の現代的様式と意味-急須の茶と携帯飲料茶の比較分析-」『日本建築学会九州支部研究報告第44号』 pp. 181-184
熊倉功夫、石毛直道（1996年）『日本の食・100年〈のむ〉』ドメス出版
小泉保（1995年）『言語学とコミュニケーション』大学書林
神津朝夫（2012年）『茶の湯と日本文化』㈱淡交社 p. 186
後藤恒允（1990年）「-言語表現の本質と機能に関する一考察-」『日本教科教育学会誌第14巻 第4号』 pp. 159-163
紅野敏郎、三好行雄、竹盛天雄、平岡敏夫（1972年）『明治の文学 近代文学史1』有斐閣

真田信治、ダニエル・ロング（１９９７年）『社会言語学図集』秋山書店
篠原和子、片岡邦好（２００８年）『ことば・空間・身体』ひつじ書房
周達生（１９８８年）『NHK市民大学 食文化からみた東アジア』日本放送出版協会 pp.106-110
末田清子、福田浩子（２０１１年）『コミュニケーション学』松柏社
大坊郁夫、永瀬治郎（２００９年）『講座社会言語科学３ 関係とコミュニケーション』ひつじ書房
髙木幸子（２００６年）「コミュニケーションにおける表情および身体動作の役割」『早稲田大学大学院文学研究科紀要51巻』pp.25-36
立川昭二（１９６９年）『ものと人間の文化史３ からくり』法政大学出版局
田中春美 編（１９８８年）『現代言語学辞典』成美堂 pp.534, 461-462
丹木博一（２０１４年）「相手に触れるということばの可能性について-言語の交話機能と冗長性-」『上智大学短期大学部紀要創立40周年記念第35号』pp.33-42
陳舜臣（１９９２年）『茶の話』朝日新聞社
角山榮（２００５年）『茶ともてなしの文化』ＮＴＴ出版㈱ p.50
中村昌生（１９９８年）『図説 茶室の歴史』㈱淡交社 pp.10-11, 17
西川祐子（２００４年）『住まいと家族をめぐる物語-男の家、女の家、性別のない部屋-』集英社 p.203
布目潮渢（２０１２年）『茶経 全訳注』講談社学術文庫

布目潮渢（2001年）『中国喫茶文化史』岩波現代文庫
布目潮渢（2001年）『中国茶の文化史 固形茶から葉茶へ』研文出版
布目潮渢（1998年）『中国茶文化と日本』汲古書院 p.226
橋本素子（2016年）『日本茶の歴史』淡交社
林屋辰三郎（1979年）『史料体系日本の歴史 第7巻 近代』大阪書籍 pp.54-55
林屋辰三郎、梅棹忠夫 監修、守屋毅 編集（1981年）『茶の文化 その総合的研究 第一部「茶の普及の三段階」』淡交社
原沢伊都夫（2013年）『グローバル時代を生きるための異文化理解入門』研究社
平山令明（2017年）『「香り」の科学』講談社 pp.14，63
福田智弘（2018年）『よくわかる！江戸時代の暮らし「川柳」と「浮世絵」で読み解く』辰巳出版
ヴィクター・H・メア、アーリン・ホー 著、忠平美幸 訳（2010年）『お茶の歴史』河出書房新社
ヘレン・サベリ 著、竹田円 訳（2014年）『お茶の歴史』原書房
Patterson, Mils L (1983) "Nonverbal behavior. A Functional Perspective" Springer - Verlag New York Inc. pp.7,35,57,99,101,140
町田健、籾山洋介（1996年）『よくわかる言語学入門 解説と演習』バベルプレス
松下智（1986年）『日本の食文化大系／第20巻 茶博物誌』東京書房社 p.102
松山洸一（2016年）「現代の日本におけるリーフ緑茶の飲用理由および飲用実態」『日本家政学会

誌Vol.67 №2』㈳日本家政学会 pp.90-98
松山洸一（2017年）「老人福祉施設への環境適応におけるリーフ緑茶活用に関する研究」http://www.lib.kobe-u.ac.jp/handle_kernel/D1006566（閲覧日2020年3月9日）
マルセル・プルースト 著、鈴木道彦 編訳（1992年）『失われた時を求めて 上・下』集英社
村井康彦（1979年）『茶の文化史』岩波書店 pp.8，190-191
村井康彦、梅棹忠夫 監修、守屋毅 編集（1981年）『茶の文化 その総合的研究 第一部「日本における茶の普及」』淡交社
森髙初惠、佐藤恵美子（2012年）『調理科学』建帛社 pp.11-12，20-21
森永貴子（2019年）「-ロシア帝政末期の茶と社会運動-」『小田内隆教授退職記念論集』立命館大学人文学会編 pp.654-633
山崎正和、多田道太郎、山田宗睦、田辺聖子、橋本峰雄（1974年）『日本人の美意識』朝日新聞社
山下主一郎訳者代表（1984年）『イメージ・シンボル事典』大修館書店
柳田國男（1998年）『柳田國男全集第5巻』筑摩書房 pp.367-385
吉川幸次郎、小川環樹（1973年）『唐詩選』筑摩書房 pp.391，398
吉浜代作（1975年）『茶とともに』稲葉印刷 p.56
ルイーズ・チードル、ニック・キルビー 著、伊藤はるみ 訳（2017年）『世界の茶文化図鑑』原書房

RAY L. BIRDWHISTELL,（1970）"Kinesics and Context Essays on Body Motion Communication" University of Pennsylvania Press, Philadelphia. pp.157-158

新聞記事

『朝日新聞』２０１９年5月31日

『食品産業新聞』２０１９年10月26日

図表出典一覧

※記載のないものは著者の作成

図１．林屋辰三郎、梅棹忠夫監修、守屋毅編集（１９８１年）『茶の文化 その総合的研究第一部「茶の普及の三段階」』淡交社をもとに作成

図２．森高初恵、佐藤恵美子（２０１２年）『調理科学』建帛社をもとに作成

図３．国立国会図書館デジタルコレクション（https://ndl.go.jp）

表１．山西貞（１９９２年）『お茶の科学』裳華房

添付資料「お茶に関する表現と文脈の読み取り」

資料No.1

「おい辨當を二つ呉れ」と云う。孤堂先生は右の手に若干《そこばく》の銀貨を握つて、へぎ折を取る左と引き換えに出す。御茶は部屋のなかで娘が注いで居る。「どうだね」と折の蓋を取ると白い飯粒が裏へ着いてくる。なかには長芋の白茶に寝転んでゐる傍らに、一片《ひときれ》の玉子焼が黄色く壓し潰され様として、苦し紛れに首丈飯の境に突き込んでゐる。「まだ、食べたくないの」と小夜子は箸を執らずに折ごと下へ置く。「やあ」と先生は茶碗を娘から受取つて、膝の上の折に突き立てた箸を眺めながら、ぐつと飲む。「もう直ですね」

「あゝもう譯はない」と長芋が髯の方へ動き出した。「今日はいゝ御天氣ですよ」（略）

「さあ食堂へ行かう」と宗近君が隣りの車室で米澤絣の襟を掻き合せる。背廣の甲野さんは、ひよろ長く立ち上がつた。通り道に転がつてゐる手提鞄を跨いだ時、甲野さんは振り返つて「おい、蹴爪づくと危ない」と注意した。硝子戸を押し開けて、隣りの車室へ足を踏み込んだ甲野さんは、眞直に抜ける氣で、中途迄来た時、宗近君が後ろから、ぐいと背廣の尻を引つ張つた。

「御飯が少し冷えてますね」「冷えてるのはいゝが、硬過《こわす》ぎてね。─阿爺の様に年を取ると、どうも硬いのは胸に痞えていけないよ」「御茶でも上がつたら……注ぎませうか」
青年は無言の儘食道へ抜けた。（略）
「おい居たぜ」と宗近君が云ふ。「うん居た」と甲野さんは献立表を眺めながら答へる。

夏目漱石『虞美人草』
引用：『漱石全集第三巻』昭和41年、岩波書店 pp.121－122

食事の際の飲み物としてのお茶である。娘は食欲がない。まだ食べたくないようであり、父のためにお茶を準備している。箸を突き立てる行為はお弁当であっても好ましいものではない。御飯にお箸を立てるのは葬儀の時に見られる。箸は橋と同音異義語であることから、父はこの先の運命を考えていたのではないかと察した。京都から東京へ渡る橋、娘の人生の架け橋、これからのことを亡くなった妻に願っているようにも感じる。「やあ」と娘が入れてくれた御茶を受け取り、箸を眺めながら、ぐっと飲む言語行動は、内心は将来の不安を感じ食事も進まない気持ちであろうが、元気を装っている。そして、祈るような気持ちで「不安」を御茶で一気に飲み込んだのだと考察した。

御飯は家庭をイメージさせる。少し冷えているというのは寂しさや不安、人間関係を想起させる。硬過ぎてね、との言葉からこれから再会する教え子との関係を表しているように感じられる。お茶が硬い御飯を柔らかくする助けとなる。冷たい御飯に対し、温かいお茶は対照的な存在である。「お茶でも上がったら…注ぎましょうか」と娘の優しい気遣いがわかる。この場合の注ぐは他動詞である。お茶を注ぐ行為は、まるで元気がなくなっている父に目的語にあたるお茶を緩和剤または活力として注ぐとも感じられた。

また、一度空いた湯呑の中にお茶を入れるので注ぐという動詞が用いられている。

資料№2

「兄さんの料簡はとても分かりませんわ。然し糸子さんは兄さんの所へ来たがつてるんですよ」

母は鳴る鉄瓶を卸して、炭取を取り上げた。隙間なく渋の洩れた劈《ひ》痕《ゝ》焼《やき》に、二筋三筋藍を流す波を描いて、眞白な櫻を氣儘に散らした、薩摩の急須の中には、緑りを細く綯《より》り込んだ宇治の葉が、午の湯に腐やけた儘、ひたひたに重なり合ふて冷えてゐる。

「御茶でも入れ様かね」

「いゝえ」と藤尾は疾く抜け出した香の猶餘りあるを、急須と同じ色の茶碗のなかに畳み込む。黄な流れの底を敲く程は、左程とも思へぬが、縁に近く漸く色を増して、濃き水は泡を面《おもて》に片寄せて動かずなる。

夏目漱石『虞美人草』

引用：『漱石全集第三巻』昭和41年、岩波書店 p.129

鳴る鉄瓶は、母の心の焦りのように感じる。急須は家の縮図のようである。ひび焼は意図的にひびの模様を出している焼き物である。それは、母の本心と言動から生じる作為を表すようであり、藍を流す波は兄や小野さんなど男性、眞白な櫻は藤尾や糸子など女性と考えた。

緑りを細く綯《より》り込んだ宇治の葉という表現からは、その特徴から宇治茶の中でも上質の玉露であることがわかる。ずいぶん前に入れたままのお茶の葉がふやける場合、一般に水につかって濡れる「潤」という字を用いるが「腐」を使っている。陳腐、腐るという意味を連想し、人間が腐るという言葉は心が曲がった腐った人物の評されるものである。お茶の葉がひたひたに重なり合って冷えている状態は母と娘の藤尾である。良質なお茶が腐やけて冷えているとは、富のある家にあっても腐った根性の母と娘によって不幸な人間関係が内在する家族の現状を表層している。

母の「お茶でもいれようかね」との申し出に娘（藤尾）は断っている。「疾く」は形容詞「とし」の連用形からの副詞である。以前に、とっくにという意味をもつ。藤尾はとっくに香りがなくなっているお茶を自ら自分の茶椀に入れている。畳み込むという表現からは、良心が既に失われていることを自覚しているがそれを肯定するかのようである。加えたお茶は色を増している、つまり、これから物事を発展させようというメタファーとして描写されている。泡が面に出て片寄って動かなくなったことは、泡は隠れていた空気が表面に出る現象である。泡は壊れやすい。計画が実行され思い通りに運ばず壊れることを暗示させる。

資料No.3

「アハヽヽヽそれぢや叡山へ何しに登つたか分からない」「そんなものは通り路に見當らなかつた様だね、甲野さん」甲野さんは茶碗を前に、くすんだ萬筋の前を合して、黒い羽織の襟を正しく坐つてゐる。甲野さんが問ひ懸けられた時、䩄然《にこやか》な糸子の顔は揺《うご》いた。

夏目漱石『虞美人草』

引用：『漱石全集第三巻』昭和41年、岩波書店p.134

甲野さんは糸子の兄と叡山に登った。糸子の家（宗近家）での会話である。甲野さんは宗近家を訪れ、糸子の父や兄の談笑の中にいる。話題は当時者である甲野さんを含む叡山（京都）のことである。茶碗を前にとは、訪問に対しお茶が供されたことを意味している。よく来てくれました。さあ、お茶を飲みながら会話をしようという現れで、コミュニケーションのはじまりである。儀礼の茶とともに交話的機能が見られる。

糸子は、甲野さんが自分の家族の中にいることを微笑ましく、甲野さんに好意をもっていることがわかる。糸子に対する形容をにこやかなと表現しているのは、純粋で清らかな女性であることを意味している。

資料No.4

狂ふ指の、憂き晝《ひる》を、苦茶苦茶に揉みこなしたと思ふ頃、阿父様は御苦労と手づから御茶を入れて下さつた。京は春の、雨の、琴の京である。なかでも琴は京に能う似合ふ。琴の好きな自分は、矢張り静かな京に住むが分である。

引用：『漱石全集第三巻』昭和41年、岩波書店 p.152
夏目漱石『虞美人草』

白楽天の『琵琶行』を想起させる描写である。

（今、東京にいて）琴の音がどこからか聞こえてきた。京都で琴の練習をしていたある日のことを懐かしく思い出している。琴の練習をしていて上手に弾けなかったとき、父親が自らお茶を入れてくれたことを思い出している。このときのお茶は慰労のお茶と考えられる。春の雨は穏やかで一雨毎に暖かくなる。父と二人の平穏で優しい時間を懐かしく回想している（時間的移動）。琴は古風な女性を象徴し、自身のことと客観視している。都会的な東京は自分に合わない、つまり「小野さんとは不釣り合いである」と自分に言い聞かせているように感じた。

資料No.5

「云つてた事は、云つてたが、来て見るとさうでもないね」と縁側で足袋をはたいて座に直つた老人は、「茶碗が出てゐるね。誰か来たのかい」「えゝ。小野さんがいらしつて……」「小野が？そりやあ」と云つたが、提げて来た大きな包をからげた細縄の十文字を、丁寧に一文字宛《ずゝ》ほどき始める。

夏目漱石『虞美人草』

引用：『漱石全集第三巻』昭和41年、岩波書店 p.153

「茶碗が出ているね。誰か来たのかい」とは「出ているね。」と状態を確認し、質問を続けている。質問により、説明を要求するコミュニケーションが開始されている。

既に誰もいないが、お茶碗がでたままになっているところであろう。来客に儀礼のお茶を出すので、訪問者があったことがわかるのである。

父と娘の会話である。「そりやあ」という表現は「それは、それは」という感嘆を表す連語の音変化である。「そりやあ、よかった」と小野さんの訪問を喜ばしく感じている。

資料No.6

「いつ」と糸子は縫ふ手を已めて、針を頭へ刺す。

「でなければ、博覧會へ行つて台湾館で御茶を飲んで、イルミネーシヨンを見て電車で帰る。―どつちが好い」「わたし、博覧會が見たいわ。是を縫つて仕舞つたら行きませう。ね」

夏目漱石『虞美人草』
引用：『漱石全集第三巻』昭和41年、岩波書店 p.177

兄と妹の会話である。どっちが好いかを尋ねていることから、二つのプランの一つである。その一つが博覧会に行き、台湾館でお茶を飲んで、イルミネーションを見てと具体的に示されている。台湾館でお茶を飲むことが目的のひとつにあげられている。一緒にお茶を飲むことはコミュニケーションのきっかけになると考えられる。

資料No.7

「どうだい女連は大分疲れたらう。こゝで御茶でも飲むかね」と宗近君が云ふ。

「女連はとにかく僕の方が疲れた」

「君より糸公の方が丈夫だぜ。糸公どうだ、まだ歩けるか」「まだ歩けるわ」

「まだ歩ける？そりやえらい。ぢや御茶は廃しにするかね」

「でも欽吾さんが休みたいと仰しやるぢやありませんか」

「ハヽヽヽ中々旨い事を云ふ。甲野さん、糸公が君の為に休んでやるとさ」

「有難い」と甲野さんは薄笑をしたが、

「藤尾も休んで呉れるだらうね」と同じ調子で付け加へる。

「御頼みなら」と簡明な答がある。

「どうせ女には敵はない」と甲野さんは断案を下した。

夏目漱石『虞美人草』

引用：『漱石全集第三巻』昭和41年、岩波書店 pp.195−196

友人同士（宗近兄弟、甲野兄弟）で博覧会に出かけている。宗近は女性たちに配慮して休憩のためのお茶を提案した。妹にはお茶を飲むことも博覧会での楽しみとして誘っていた「約束のお茶」でもあったのである。妹はまだ疲れてはいないが、甲野さんのためにお茶を飲むことを申し出ている。甲野さんを大切に思っている。藤尾は、御頼みならと他人を思っているわけではない。他者に対する寛容の差が見られる。

資料No.8

「先生はどうですか」

小夜子は返事を控へて淋しく笑つた。

「先生も雑沓する所が嫌でしたね」

「どうも年を取つたもんですから」と氣の毒さうに、相手から眼を外して、畳の上に置いてある埋木の茶托を眺める。京焼の染付茶碗は先から膝頭に載つてゐる。

「御迷惑でしたらう」と小野さんは隠袋《ポケット》から煙草入を取り出す。闇を照す月の色に富士と三保の松原が細かに彫つてある。其松に緑の絵の具を使つたのは詩人の持物としては少しく俗である。派出を好む藤尾の贈物かも知れない。

夏目漱石『虞美人草』

引用：『漱石全集第三巻』昭和41年、岩波書店 pp. 206-207

先生は少し体調がわるい様子。（昨日、先生は小野さんの案内で小夜子と三人で博覧会に出かけている）

小夜子は小野さんを訪問し、昨日のお礼を言いに行った。小野さんと小夜子の会話である。小野さんから父の具合を尋ねられ「どうも年を取ったもんですから」と理由を述べている。「ものですから」とは後述に言い訳、謝罪の意味を込めて言う場合に用いられる。発話の後、畳の茶托を眺めている。小夜子の言語行動は本心ではないことを理由に述べている心理の現れがわかる。あきらめたような様子で自ら話をまとめようとしており、相手に対して謙虚な「外す」を使っている。反論をする場合、反発の強い意志を含む「反らす」を用いるのではないだろうか。その茶托は小夜子に出されたお茶のものである。お茶を茶托とお茶の入った湯呑に分けている。出されたお茶に小野さんの姿が見られる。小野さんの行動には気持ちが伴っていないのである。小野さんは別の場所に気持ちが向いている人である。

埋木の茶托も京焼も名のある品であるが、染付茶碗は素焼きした焼き物に色をつけて下絵付けとも呼ばれ藍色のみの派手さのない絵模様である。茶托が先生（小夜子の父）であり、小夜子は京焼の染付茶碗であるとも考えられる。その京焼の染付茶碗は小夜子の膝の上で手に持たれている。自分を守っている身体動作と考察した。

資料No.9

> ―あれは、ほんの表向で、内実の昨夕を見たら、招く薄は向へ靡く。知らぬ顔の美しい人と、睦じく御茶を飲んで居たと、心外な蓋をとれば、母の手前で器量が下がる。我が承知が出来ぬと云ふ。
>
> 夏目漱石『虞美人草』
>
> 引用：『漱石全集第三巻』昭和41年、岩波書店 p.229

「睦まじく」は形容詞の連用形。親密で仲の良い様子である。藤尾は博覧会で小野さんが自分の知らない美しい女性と仲良くお茶を飲んでいたところを目撃した。特別な関係でなければ睦まじくお茶を飲むことは考えにくいものである。藤尾は自尊心が高く、母親にさえ話して同情を買いたくないのである。

資料№10

「え＞—　知つて—居ます」

「知つて入らつしやる。—入らつしやるでせう。あすこで皆して御茶を飲んだんです」

男は席を立ちたくなつた。女はわざと落ち付いた風を、飽く迄も粧ふ。

「大変旨《おいし》い御茶でした事。あなた、まだ御這入になつた事はないの」小野さんは黙つてゐる。

「まだ御這入にならないなら、今度是非其京都の先生を御案内なさい。私も又一《はじめ》さんに連れて行つて貰ふ積ですから」藤尾は一さんと云ふ名前を妙に響かした。

夏目漱石『虞美人草』

引用：『漱石全集第三巻』昭和41年、岩波書店 p.238

お茶を飲んだお店の話題であるが、藤尾の発話の意図は別にある。言外の意味がアイロニーとして見られる。（間接的発話行為）

資料9の知らぬ顔の美しい人と、睦まじくお茶を飲んでいたことを小野さんに思い出させ、罪悪感を持たせることが目的である。さらに、藤尾は自分と一緒に行くのは一さんと固有名詞を強調したのであろうと思われる。小野さんにも他の女性を誘うようにと自分の相手は小野さんではないと思わせている。本心ではないことを口にしながら小野さんの気持ちを自分に強く向けようと策略している。

藤尾の発話は韻律素性、周辺言語として現れている。

資料No.11

縁に遅日多し、世を只管《ひたすら》に寒がる人は、端近く絣の前を合せる。乱菊に襟晴れがましきを豊なる顎に壓《お》し付けて、面と向ふ障子の明なるを眩く思ふ女は入口に控へる。八畳の座敷は眇《べう》たる二人を離れ離れに容れて廣過ぎる。間は六尺もある。

忽然として黑田さんが現れた。小倉の襞《ひだ》を飽く迄潰した袴の裾から赤黒い足をによきによきと運ばして、茶を持つて来る。煙草盆を持つて来る。菓子鉢を持つて来る。六尺の距離は格《かた》の如く埋められて、主客の位地は辛うじて、接待の道具で繋がれる。忽然として午睡の夢から起きた黑田さんは器械的に縁の糸を二人の間に渡した儘、朦朧たる精神を毬栗頭の中に封じ込めて、再び書生部屋へ引き下がる。あとは故の空屋敷となる。

夏目漱石『虞美人草』

引用:『漱石全集第三巻』昭和41年、岩波書店 p.242

宗近家に甲野さんが散歩の途中に訪れた。(父も兄も留守で兄は散歩ですぐに戻る所である)

八畳の広さは糸子と甲野さんの二人には広すぎるようであった。書生の黒田さんが甲野さんにお茶を運んできてくれた。お茶の道具によって二人の距離が繋がったのである。お茶がきっかけとなり(資料12に続く会話が発展している)コミュニケーションが活発になる場になっていることがわかる。

参考:1間=6尺=60寸、1寸=約3cm

資料No.12

「何ですか其面白かつたものは」

「云つて見ませうか」「云つて御覧なさい」「あの、皆して御茶を飲んだでせう」

「えゝ、あの御茶が面白かつたんですか」「御茶ぢやないんです。御茶ぢやないんですけれどもね」

「あゝ」「あの時小野さんが居らしたでせう」「えゝ、居ました」「美しい方を連れて居らしたでせう」

夏目漱石『虞美人草』
引用：『漱石全集第三巻』昭和41年、岩波書店 p.244

甲野さんと糸子の会話である。博覧会でお茶を飲んだときのことを話している。糸子は偶然に小野さんと同席の美しい女性を目にしたときのことを話している。糸子の兄がその女性を以前何度か見たことがあると言っていたことで、その偶然が面白いと言っているのである。お茶が縁を作り出している。

資料No.13

「あれは君の何だい」「少し猛烈ですね。—故の先生です」

「あの女は、それぢあ恩師の令嬢だね」「まあ、そんなものです」

「あゝやつて、一所に茶を飲んでゐる所を見ると、他人とは見えない」

「兄弟と見えますか」「夫婦さ。好い夫婦だ」

「恐れ入ります」と小野さんは一寸笑つたがすぐ眼を外した。（略）

夏目漱石『虞美人草』

引用：『漱石全集第三巻』昭和41年、岩波書店 p.256

宗近さんと小野さんの会話である。（宗近さんは藤尾の血の繋がりのない兄である）

宗近さんが小野さんに、博覧会でお茶を飲んでいた相手について質問している。（宗近さんはその女性を偶然に何度か見かけている）仲睦まじくお茶を飲むことは特別な間でなければ考えにくいのである。宗近さんは、その姿に良い夫婦に見えると評した。小野さんは藤尾と結婚したいと考えている。しかし、結婚相手である女性のことを言い当てられ複雑な心境になっている。「恐れ入ります」と答え話題を終えたいのである。一寸笑ったのは冗談だろうという意思表示であるが、すぐに眼を外しているのは冗談ではないからであると察せられる。

資料No.14

「何とか云つて断つたのね」

「欽吾がどうあつても嫁を貰ふと云つて呉れません。私も取る年で心細う御座いますから」と一と息に下して来る。一寸御茶を呑む。
「年を取つて心細いから」
「心細いから、欽吾があの儘押し通す料簡なら、藤尾に養子でもして掛かるより外に致し方が御座いません。すると一さんは大事な宗近家の御相続人だから私共へ入らしつて頂く譯にも行かず、又藤尾を差し上げる譯にも参らなくなりますから……」

夏目漱石『虞美人草』
引用：『漱石全集第三巻』昭和41年、岩波書店 p.303

娘と母親の会話である。娘が母親に、娘を宗近の家にお嫁にやるという父親同士の生前の約束を断ってきたときの話しである。「一寸《ちょっと》御茶を呑む」という描写はお茶をゆっくり味わっているのではない。動詞「呑む」はお酒、話などを呑む場合、丸呑みする場合などに用いられる。嘘をついているので、少しのお茶をぐっと呑みこまなければ話ができない心理状態が身体動作に現れている。

資料No.15

三四郎は鳥渡振返《ちょっとふりかへ》つて、一口女にどうですと相談したが、女は結構だといふんで、思ひ切てずつと這入つた。上り口で二人連ではないと断る筈の所を、入らつしやい、―どうぞ御上り―御案内―

梅の四番などとのべつに喋舌《しやべ》られたので、已を得ず無言の儘二人共梅の四番へ通されて仕舞つた。下女が茶を持つてくる間二人はぼんやり向ひ合つて坐つてゐた。下女が茶を持つて来て、御風呂をと云つた時は、もう此婦人は自分の連ではないと断る丈の勇氣が出なかつた。そこで手拭をぶら下げて、御先へと挨拶をして、風呂場へ出て行つた。

夏目漱石『三四郎』

引用：『漱石全集第四巻』昭和41年、岩波書店 p.10

已むを得ず通された部屋で、ただ向かい合って座っていることしかできなかった二人である。ここではぼんやり向かい合っているという表現から、会話はない。どうして良いか考えがつかない心境を読み取るとこができる。下女がお茶を運んできたことにより雰囲気が変わるきっかけになっている。つまり、次の行動を促す作用になったと思われる。次の行動は、身体動作と発話である。三四郎が手拭を手にお先へと挨拶をして、風呂場へ出て行ったことに繋がる。心的状態が張りつめていたものから行動へと起こされた。気持ちの上でお茶が作用することになったと思われる。それは、お茶が届いたことにより二人の間に間をもたせる効果（一息いれるなど）でもある。

下女がお茶を出したことは、日本の文化ともいえるもてなしの一つであり儀礼のお茶である。到着したお客にたいして一息ついてもらいたいと咽喉の渇きを癒す役割もある。同時に、下女は、お茶を持って来たときに、お風呂の準備ができていることを伝えている。

お茶がなくとも、お風呂の準備ができたと伝えることは可能であるが、お風呂がリラックスできる場所であっても、到着したばかりのお客にいきなりお風呂ができたことを伝えるよりも、まずお茶を出して一息ついてもらってからと考えることが自然であり、このお茶を出すことにより後に続く言葉の緩衝にもなっている。要するに、お茶は言いにくいことをやわらかく伝える時に有効とされるクッション詞のような役割も担っていると言える。

資料No.16

　ある時三四郎は念の為、アフラー、ベーンと云ふ作家の小説を借りて見た。開ける迄は、よもやと思つたが、見ると矢張り鉛筆で丁寧にしるしが付けてあつた。此時三四郎はこれは到底遣り切れないと思つた。所へ窓の外を楽隊が通つたんで、つい散歩に出る氣になつて、通りへ出て、とうとう青木堂へ這入つた。

　這入つて見ると客が二組あつて、いづれも学生であつたが、向ふの隅にたつた一人離れて茶を飲んでゐた男がある。三四郎がふと其横顔を見ると、どうも上京の節汽車の中で水蜜桃を澤山食つた人の様である。向ふは氣がつかない。茶を一口飲んでは煙草を一吸すつて、大変悠然《ゆつくり》構へてゐる。今日は白地の浴衣を已めて、背廣を着てゐる。然し決して立派なものぢやない。光線の圧力の野々宮君より白襯衣《しろしやつ》丈《だけ》が増しな位なものである。三四郎は様子を見てゐるうちに慥かに水蜜桃だと物色した。大学の講義を聞いてから以来、汽車の中で此男の話した事が何だか急に意義のある様に思はれ出した所なので、三四郎は傍へ行つて挨拶を仕様かと思つた。けれども先方は正面を見たなり、茶を飲んでは、煙草をふかし、煙草をふかしては茶を飲んでゐる。手の出し様がない。

夏目漱石『三四郎』

引用：『漱石全集第四巻』昭和41年、岩波書店 pp.46-47

「向こうの隅に」という場所からは人目につきにくい場所を選んでいると考えられる。「茶を一口飲んでは煙草を一吸すつて」という一定のリズムがある。何か考え事をしていても乱れることのない繰り返しの動きである。また、この一定の動作によって他者を遮ることが可能であると思われる（カモフラージュ、独座的）。煙草の煙も他を遮る効果があるとも考えられる。総じて、自分の世界を作っている。この描写において、茶と煙草は同等な立場とみられる。茶も煙草もどちらも覚醒作用がある。リラックス効果も期待できる。

大変ゆっくり構えているという表現から、落ち着いた様子とじっくり考え事をしている様子が混在しているように感じられる。そしてその対比として茶と煙草という異なったもので表層しているように考察した。茶は「落ち着いている、または落ち着かせている」であり、煙草は「考え事をしている、または考えて少し苛立ちがある」と察した。その両方で打ち消し合い、気持ちを整えているとも考えられる。よって、思考（心）を一定に保っているので外見にはゆっくり構えて見えるが、誰も手の出しようのない自分の世界を作っていると言える。現実から逃避しているようにも見え、マイペースで常に傍観者的な存在の人物像に映る。

資料No.17

三四郎は此時ふと汽車で水蜜桃を呉れた男が、危ない危ない、氣を付けないと危ない、と云つた事を思ひだした。危ない危ないと云ひながら、あの男はいやに落付いて居た。つまり危ない危ないと云ひ得る程に、自分は危なくない地位に立つてゐれば、あんな男にもなれるだらう。世の中にゐて、世の中を傍観してゐる人は此こに面白味があるかも知れない。どうもあの水蜜桃の食ひ具合から、青木堂で茶を呑んでは煙草を吸ひ、煙草を吸つては茶を呑んで、凝と正面を見てゐた様子は、正に此種の人物である。—批評家である。—三四郎は妙な意味に批評家と云ふ字を使つて見た。使つて見て自分で旨いと感心した。のみならず自分も批評家として、未来に存在しやうかと迄考へ出した。あの凄い死顔を見るとこんな氣も起る。

夏目漱石『三四郎』

引用：『漱石全集第四巻』昭和41年、岩波書店 p.58

茶を飲むという表現に「飲む」と「呑む」を使い分けている。『明鏡国語辞典 第二版』によれば、「『呑』は丸のみにする、ぐいぐいのむの意」である。一般的には薬や条件、息を呑むときに用いる。

水蜜桃、茶、煙草について、普通の人の食べ方、飲み方、吸い方とは異なるのと思われる。その仕草で人物の品定めを行っている。「自分は危なくない地位に立っていればあんな男にもなれるだろう」、「自分も批評家として未来に存在しようかとまで考えた」という表現から、この人物に対して憧れを抱いているように思われた。

資料№18

> 三四郎は明日例になく早く起きた。
> 寝慣ない所に寝た床のあとを眺めて、煙草を一本吸んだが、昨夜の事は、凡て夢の様である。縁側へ出て、低い廂の外にある空を仰ぐと、今日は好い天氣だ。世界が今朗らかに成つた許りの色をしてゐる。飯を済まして茶を飲んで、縁側に椅子を持ち出して新聞を読んでゐると、約束通り野々宮君が帰つて来た。
>
> 夏目漱石『三四郎』
> 引用：『漱石全集第四巻』昭和41年、岩波書店 p.59

「縁側へ出て、低い廂の外にある空を仰ぐ」つまり、現実に起こった悪夢のような出来事から抜け出されたことを表している。縁側は別世界への通路と考えた。一度、低い廂をくぐるように外の空を見上げたことで別世界に出られたのだと思われる。続く、天気が良く、「世界が今朗らかに成つた許りの色をしてゐる」との表現からは、良い兆しに向かう心理のように思われた。成り立ったばかりという字に「許」を用いている。「許可」の意味であるとすれば、許された、願いが聞きとどけられたのではないかと思われる。

この場合の茶は、食後のお茶である。平穏な日常の時間経過を表している。お茶を飲んでゆっくりしている。そして、「約束通り」という表現から何かから漸く解放された様子が伝わってくるようである。

資料No.19

時に突然左の横町から二人あらはれた。その一人が三四郎を見て、「おい」と云ふ。與次郎の聲は今日に限つて、几帳面である。其代り連がある。三四郎は其連を見たとき、果して日頃の推察通、青木堂で茶を飲んでゐた人が、廣田さんであると云ふ事を悟つた。此人とは水蜜桃以来妙な関係がある。ことに青木堂で茶を飲んで煙草を呑んで、自分を図書館に走らしてよりこのかた、一層よく記憶に染みてゐる。いつ見ても神主の様な顔に西洋人の鼻を付けてゐる。今日も此間の夏服で、別段寒さうな様子もない。

夏目漱石『三四郎』

引用：『漱石全集第四巻』昭和41年、岩波書店 p.71

青木堂でお茶を飲んでいた人と廣田さんとが結びついた瞬間である。青木堂で目にした、お茶の飲み方と煙草の吸い方が印象に残るものであった。「いつみても」や「寒そうな様子もない」という表現から何があっても変わらない様子がわかる。神主は、神社に仕えて神を祭ることを仕事とする人であることから、顔立ちにある種の尊さが感じられ、俗事に流されないような風貌に思われる。

資料No.20

野々宮さんは、縁側から立つて、二三歩庭の方へ歩き出したが、やがて又ぐるりと向き直つて、部屋を正面に留つた。

「成程旨い譯《やく》だ」

三四郎は野々宮君の態度と視線とを注意せずには居られなかつた。

美禰子は台所へ立つた。茶碗を洗つて、新しい茶を注いで、縁側の端迄持つて出る。

「御茶を」と云つた儘、其こへ坐つた。「よし子さんは、どうなすつて」と聞く。

「えゝ、身體《からだ》の方はもう回復しましたが」と又腰を掛けて茶を飲む。それから、少し先生の方へ向いた。

夏目漱石『三四郎』
引用：『漱石全集第四巻』昭和41年、岩波書店 p.109

野々宮さんが来たので、美禰子がお茶を出すことは自然な流れである。しかし、お茶を出したあとから、それまで翻訳の話題から別の話題へと変化が見られる。お茶を運んだ美禰子は、野々宮さんの近くに座っており、自分から話しかけている。お茶を出す行為と共に、自分のほうから話したいことがあったように思われる。新しいコミュニケーションが開始された。

資料No.21

「馬鹿ね。二時間許り損をして」と云ひながら、折角描いた水彩の上へ、横縦に二三本太い棒を引いて、絵の具函の蓋をぱたりと伏せた。

「もう廢しましせう。座敷へ御這入りなさい。御茶を上げますから」と云ひながら、自分は上へあがつた。三四郎は靴を脱ぐのが面倒なので、矢張り縁側に腰を掛けてゐた。腹の中では、今になつて、茶を遣るといふ女を非常に面白いと思つてゐた。三四郎に度外れの女を面白がる積《つもり》は少しもないのだが、突然御茶を上げますと云はれた時には、一種の愉快を感ぜぬ譯に行かなかつたのである。其感じは、どうしても異性に近づいて得られる感じではなかつた。

夏目漱石『三四郎』

引用：『漱石全集第四巻』昭和41年、岩波書店 p.118

三四郎が訪ねて来てすぐにお茶がだされたのではない。「今になって」という表現からは、三四郎にとっては今更で遅い。女（よし子）の気分転換のためのお茶と思われる。

三四郎は一種の愉快感を生じている。「女性に近づいて得られる感じではなかった」との表現から、まるで、子どもの相手をするような面持ちである。しかし、その突然のお茶の申し出は嬉しいものであったことが伺える。

資料No.22

茶の間で話し聲がする。下女は居たに違ない。やがて襖を開いて、茶器を持つて、よし子があらわれた。其顔を正面から見たときに、三四郎は又、女性中の尤も女性的な顔であると思つた。
よし子は茶を汲んで縁側へ出して、自分は座敷の畳の上へ坐つた。三四郎はもう帰らうと思つてゐたが、此女の傍《そば》にゐると、帰らないでも構わない様な氣がする。病院では曾《かつ》て此女の顔を眺め過ぎて、少し赤面させた為めに、早速引き取つたが、今日は何ともない。茶を出したのを幸ひに縁側と座敷で又談話を始めた。色々話してゐるうちに、よし子は三四郎に妙な事を聞き出した。

夏目漱石『三四郎』
引用：『漱石全集第四巻』昭和41年、岩波書店 pp.118-119

茶器をもって現れたよし子に対して、「突然茶を出す」（資料21）と言ったときとは別人のように見えたのである。女性らしさを感じている。そして、帰ろうと思っていたその気持ちも薄れ、時間を共有することに心地よさを感じている。「茶を出したのを幸ひに縁側と座敷で又談話を始めた。」との描写から、お茶を飲み始めたことにより、二人の時間がつくられたのである。「幸いに」は、副詞で、「運よく」や「恵まれた状態」を意味する。お茶がコミュニケーションのきっかけとなっている。三四郎は縁側、よし子は座敷にいることがわかる。縁側と座敷の空間にある余白がコミュニケーションを生む可能性をもたせていると考えられる。「又談話を始めた。」ということは、会話が続いていることが判る。「妙なことを聞きだす」は、親密度が増し、会話が活発になっていると見受けられる。

資料No.23

> 與次郎はやがて、袴を穿いて、改まつて出て来て、「一寸行つて参ります」と云ふ。先生は黙つて茶を飲んでいる。二人は表へ出た。表はもう暗い。門を離れて二三間来ると、三四郎はすぐ話かけた。
>
> 夏目漱石『三四郎』
>
> 引用：『漱石全集第四巻』昭和41年、岩波書店 p.148

「行ってまいります」という発話に対し、「行ってらっしゃい」など返答があるものだが、先生は黙って茶を飲んでいる。非言語の意思表示とも考えられる。つまり、外出することを快く思っていない可能性が考えられる。

お茶を飲むことで黙っているという不自然さを感じさせずに、無関心を装えるのである。お茶を飲んでいるようにカモフラージュができる。他者を隔てることができるとも言える。さらに、心の内を隠す、悟られないようにできる。平静でいられる、または、平静を装うことができると思われる。

資料No.24

「どうです。もう廢して、一所に出ちや。精養軒で御茶でも上げます。なに私は用があるから、どうせ一寸行かなければならない。―會の事でね、マネジヤーに相談して置きたい事がある。懇意の男だから。―今丁度御茶に好い時分です。もう少しするとね、御茶には遲し晩餐には早し、中途半端になる。どうです。一所に入らつしやいな」

夏目漱石『三四郎』

引用：『漱石全集第四巻』昭和41年、岩波書店p.212

お茶の時間に良いと、お茶を口実に誘っている。二人で会いたいという思いが感じられる。お茶でも、の「でも」は、～くらいのという簡単なものの例えである。ただし、精養軒は西洋料理店（フランス料理）であり、本来、食事をするところであることから、誘った方は、本当は夕食を共にしたいと考えているのではないかと想像される。強い好意の現れであり、自分の懇意の同性の人物との同席に誘う意味は、特別な存在であると示したいという意図が読み取られる。「いらっしゃいな」の「な」は終助詞である。『明鏡国語辞典 第二版』によれば「親しみを込めて、相手の注意を引きつける」意味である。

資料No.25

其時原口さんが、とうとう筆を擱いて、「もう廢さう。今日は何うしても駄目だ」と云ひ出した。美禰子は持つてゐた団扇を、立ちながら床の上に落した。椅子に掛けた羽織を取つて着ながら、此方へ寄つて来た。

「今日は疲れてゐますね」

「私?」と羽織の裄を揃へて、紐を結んだ。

「いや實は僕も疲れた。また明日元氣の好い時に遣りませう。まあ御茶でも飲んで緩なさい」

夕暮れには、まだ間があつた。けれども美禰子は少し用があるから帰るといふ。三四郎も留められたが、わざと断つて、美禰子と一所に表へ出た。

夏目漱石『三四郎』

引用:『漱石全集第四巻』昭和41年、岩波書店pp.258-259

「まあ、お茶でも飲んでゆっくりなさい」の「まあ」は副詞である。相手の気持ちをなぐさめるようにお茶でも飲んで、と別のことを勧めている。例えば、絵のことは今日はどうでもよいので、まあ、お茶でもというように続く。「ゆっくりなさい」の「なさい」は動詞「なさる」の命令表現である。ここでは、目上の者から目下の者に対して促すような表現であり、命令形のやわらかな表現である。

お茶をすすめることで気分転換と慰労の意味があると思われる。そして、間をもたせようとしている。コミュニケーションのきっかけを生み出そうとしている。時間を共有することで関係（雰囲気）を良くしようとしていることが想像できる。

資料№26

「御婆さん、此所を一寸借りたよ」

「はい、是は、一向存じませんで」

「大分降つたね」

「生憎な御天氣で、さぞ御困りで御座んしよ。おゝおお大分御濡れなさつた。今火を焚いて乾かして上げましよ」

「そこをもう少し燃し付けてくれゝば、あたりながら乾かすよ。どうも少し休んだら寒くなつた」

「へえ、只今焚いて上げます。まあ御茶を一つ」

（略）

「まあ一つ」と婆さんはいつの間にか刳り抜き盆の上に茶碗をのせて出す。茶の色の黒く焦げて居る底に、一筆がきの梅の花が三輪無雑作に焼き付けられて居る。

「御菓子を」と今度は鶏の踏みつけた胡麻ねぢと微塵棒を持つてくる。糞はどこぞに着いて居らぬかと眺めて見たが、それは箱のなかに取り残されてゐた。

婆さんは袖無しの上から、襷をかけて、竈の前へうづくまる。余は懐から写生帖を取り出して、婆さんの横顔を寫しながら、話しをしかける。

夏目漱石『草枕』
引用：『漱石全集第二巻』昭和41年、岩波書店 pp. 400-401

御茶を飲む動機は、雨宿りの為に茶店に入ったことによる。

「へえ、只今焚いて上げます。まあ御茶を一つ」は、濡れた服を焚火で乾かし、外から温まることに対し、お茶は身体の中から温めることができるものであると考えられる。

お客は休憩しながらお茶を飲むことが常だが「まあ御茶を一つ」という言葉からは、火がもっと焚けるまでに「何はともあれ、先ずさきにお茶をお持ちしますので飲んで下さい」との意が感じられる。実際に供されるときの二度目の「まあ一つ」という言葉を通じて「さぁどうぞ、はやく」という勢いと厚意が読み取られる。雨で濡れた客人に少しでも早く温まってもらいたいという気持ちが込められている。

茶店は御茶を商品として出すところであるにもかかわらず、商売気が感じられない。

この御茶は刳り抜き盆の上に茶碗をのせてとあることから、茶托は使われていない。客人扱いをしていないように感じた。また、茶碗の記述から、茶渋が着いていることがわかる。客人に茶渋のついた茶器で御茶を出すことは考えにくい。

「刳り抜き盆」、「一筆がきの梅の花が無造作に焼き付けられている」からは、店にある茶器の品物の良さが伝わってくる。

黒く焦げているという色彩からは、時の経過が伺える。使い込まれた茶器であり、茶店の歴史も長いのではないかと推察される。この御茶は、茶店のお婆さんが日常使いにしている茶器の一つを用い、厚意的に出された温かいほうじ茶か番茶ではないかと考えられる。

お茶を出して落ち着いたところに、「御菓子を」と勧めているのは「よかったら、この御菓子をお茶請けにお召し上がりください」という意味であり、時間を気にせずにゆっくりしてもらいたいのでお茶請けを出していることがわかる。御菓子についても、「鶏の踏みつけた胡麻ねじ」とあり、茶店の商品として特別に用意された御菓子を出してきたものではない。

資料No.27

> 昨夕は妙な氣持ちがした。
> 宿へ着いたのは夜の八時頃であつたから、家の具合庭の作り方は無論、東西の区別さへわからなかつた。何だか廻廊の様な所をしきりに引き廻されて、仕舞に六畳程の小さな座敷へ入れられた。昔し来た時とは丸で見當が違ふ。晩餐を済まして、湯に入つて、室へ帰つて茶を飲んで居ると、小女が来て床を延べよかと云ふ。

不思議に思つたのは、宿へ着いた時の取次も、晩食の給仕も、湯壺への案内も、床を敷く面倒も、悉く此小女一人で弁じて居る。それで口は滅多にきかぬ。と云ふて、田舎染みても居らぬ。赤い帯を色氣なく結んで、古風な紙燭をつけて、廊下の様な、梯子段の様な所をぐるぐる廻はらされた時、同じ帯の同じ紙燭で、同じ廊下とも階段ともつかぬ所を、何度も降りて、湯壺へ連れて行かれた時は、既に自分ながら、カンヴァスの中を往来して居る様な氣がした。

夏目漱石『草枕』

引用：『漱石全集第二巻』昭和41年、岩波書店 p. 410

「室に帰って茶を飲んでいると」は、部屋で自分でいれた御茶をただ飲んでいるのである。湯上りということから、水分を欲したことも考えられるが目的としては考えにくく、一人の時間にゆっくりしているときに御茶でも飲もうと考えたのではないかと思われる。「御茶を飲んでいると」という描写は、昨夕の宿での出来事がすべて連れ廻されたという受身的な行動に対し、自発的な行動で対比している。

小女の描写も、広い屋敷に対して一人や小さいものとして対象的であり対比し、「赤い帯を色気なく結んで」「口は滅多にきかぬ」「田舎染みてもおらぬ」という表現からは、小女でありながら人間味がなくあたかも機械的な人形のような印象をもたせ、それに反するような「古風な紙燭」は二項対立として、小女の存在をより現実ばなれしたものに感じさせる。カンヴァスの中を往来している様な気がしたとあるのも、別世界・非現実の世界をあらわしているといえる。

御茶を飲んでいることは現実の世界であり、御茶を飲むことで回想し一人で考えを整理しているように感じた。御茶を飲むことで思考を働かせ精神的に落ち着いているようにも捉えられる。

資料No.28

突然襖があいた。寝返りを打つて入口を見ると、因果の相手の其銀杏返しが敷居の上に立つて青磁の鉢を盆に乗せたまま佇んで居る。

「また寝て入らつしやるか、昨夕はご迷惑で御座んしたらう。何返も御邪魔をして、ほゝゝゝ」と笑ふ。

臆した景色も、隠す景色も―恥づる景色は無論ない。只こちらが先を越されたのみである。

「今朝は有難う」と又禮を云つた。考へると、丹前の禮を是で三返云つた。しかも、三返ながら、只有難うと云ふ三字である。

女は余が起き返らうとする枕元へ、早くも坐つて
「まあ寝て入らつしやい。寝て居ても話は出来ませう」と、さも氣作に云ふ。余は全くだと考へたから、一先ず腹這になつて、両手で顋を支へ、しばし畳の上へ肘壺の柱を立てる。

「御退屈だらうと思つて、御茶を入れに来ました」

「有難う」又有難うが出た。菓子皿のなかを見ると、立派な羊羹が並んでゐる。余は凡の菓子のうちで尤も羊羹が好だ。

夏目漱石『草枕』

引用：『漱石全集第二巻』昭和41年、岩波書店 pp.431-432

主人公（余）は、女（女主）とまだまともな会話を交わしていない。三回云ったという言葉の内容は全て同じ言葉で「有難う」という短いお礼の言葉のみである。

青磁の鉢を盆に乗せ「御退屈だろうと思って、御茶を入れに来ました」という表現からは、女は自分から用事をつくり、お客と接する機会をもちたかったのではないかと想像できる。それまでにも自ら機会を生み出しているが、お客からのことばは、「有難う」という短いお礼の言葉のみに終わっている。一方的な会話であり言葉が交わされたとはいえなかった。御菓子を運び、御茶を入れることで、自然なかたちで接点を生み出している。これは、御茶が生活に根付いた飲み物として不自然ではないことが、第一の必然的条件であるからこそで、さらに、御茶を供している間も話ができると考えたのではないかと察せられる。つまり、女は御茶を入れることでお客との会話が成り立つであろう場面設定を完成させている。

「此青磁の形は大変いゝ。色も美事だ。殆ど羊羹に対して遜色がない」

女はふゝんと笑つた。口元に侮どりの波が微かに揺れた。余の言葉を洒落と解したのだらう。成程洒落とすれば、軽蔑される値は慥かにある。智慧の足りない男が無理に洒落れた時には、よくこんな事を云ふものだ。

「是は支那ですか」

「何ですか」と相手はまるで青磁を眼中に置いて居ない。

「どうも支那らしい」と皿を上げて底を眺めて見た。

「そんなものが、御好きなら、見せませうか」

「えゝ、見せて下さい」

「父が骨董が大好きですから、大分色々なものがあります。父にさう云つて、いつか御茶でも上げませう」

夏目漱石『草枕』
引用：『漱石全集第二巻』昭和41年、岩波書店 p.433

御茶にまつわる茶器には芸術を通じての話題も可能になることがわかる内容である。

女とお客は、会話が続き、羊羹を入れた菓子器の青磁から骨董の話に話題が広がっていく。女の父は骨董好きである。女はお客に骨董を見せることが本来の目的である御茶会を催すことを提案し、父にお客を御茶会に招待させ、その場で骨董を披露させると会話が続いている。同時に、大切な人同士をお茶を通して会わせたいとの思いがある。

資料No.30

「御茶つて、あの流儀のある茶ですかな」

「いゝえ、流儀も何もありやしません。御厭なら飲まなくつてもいゝ御茶です」

「そんなら、序に飲んでもいゝですよ」

「ほゝゝ。父は道具を人に見て頂くのが大好きなんですから……」

「褒めなくつちあ、いけませんか」「年寄りだから、褒めてやれば、嬉しがりますよ」

「へえ、少しなら褒めて置きませう」「負けて、澤山御褒めなさい」

「はゝゝ、時にあなたの言葉は田舎ぢやない」

夏目漱石『草枕』
引用：『漱石全集第二巻』昭和41年、岩波書店p.434

流儀のある御茶なら遠慮するところだが、気楽な御茶と知り、「そんなら、序でに飲んでもいいですよ」と答えている。御茶はあくまでも序でであることがわかる。第一の目的は興味がある骨董をみることであるようであるが、「序で」という言葉を用い女との会話を楽しんでいるように思う。

御茶会を開催することで、人と人を結び付けている。骨董を見せると直接誘うのは不自然であり、御茶の機会として声をかけることは日常的で自然なことである。誘い易く、誘いを受けた方も受け入れやすい。

集いの機会として御茶会が催されると、そこでは茶道具、茶器として使われているものは自然な流れで披露される。骨董の話題で会話がさらに広がるきっかけとなり様々な芸術品を通じて会話が生じる。

女とお客の会話に着目すると、「有難う」と言うくらいだったお客が、女との会話の中で笑い声も出てきていることに気づく。女が御茶を入れにきたことから、会話が生まれ女とお客の距離が縮まったことが明らかである。その距離の間には御茶があり、それはまた緩衝材的な役割を担っているのではないかと感じられる。

資料No.31

御茶の御馳走になる。相客は僧一人、観海寺の和尚で名は大徹と云ふさうだ。俗一人、二十四五の若い男である。

(略)「今日は久し振りで、うちへ御客が見えたから、御茶を上げやうと思つて、……」と坊さん

の方を向くと、

「いや、御使をありがたう。わしも、大分御無沙汰をしたから、今日位来て見やうかと思つとつた所ぢや」と云ふ。此僧は六十近い、丸顔の、達磨を草書に崩した様な容貌を有してゐる。老人とは平常からの昵懇と見える。

「此方が御客さんかな」

老人は首背ながら、朱泥の急須から、緑を含む琥珀色の玉液を、二三滴づゝ、茶碗の底へしたゝらす。清い香りがかすかに鼻を襲う氣分がした。

「こんな田舎に一人では御淋しかろ」と和尚はすぐに余に話しかけた。

夏目漱石『草枕』
引用：『漱石全集第二巻』昭和41年、岩波書店pp.472-474

「御茶を上げる」とは「御茶会をとり行う」ことを意味している。

久し振りの御客のためにとの文からは、御茶会は相手に対して歓迎の意味を持ち、おもてなしの気持ちを含む特別なことと伺える。

「朱泥の急須から、緑を含む琥珀色の玉液を二三滴ずつ、茶碗の底へしたたらす」という描写からは、茶の種類は玉露であることが想像できる。玉露は、覆下園（日覆をした）茶樹の若葉から製した茶で独特の覆香と呼ばれる香りと甘み旨みが特徴的な上等な緑茶として知られる。

草枕の舞台は、熊本県玉名郡小天村の小天温泉がモデルで、季節は春である。熊本県玉名からは九州の茶の産地も近い。

茶席で会話が続いていく。「和尚はすぐに余に話しかけた。」という行為は、御客に対しての気遣い、好意、興味などがあると考えられる。和尚は尊い存在である。御茶の席に「相客」として呼ばれていることから、和尚を含む人選にも老人の配慮が感じられる。御茶で人と人とを繋いでいる。

資料№32

「ふん、さうか—さあ御茶が注げたから、一杯」と老人は茶碗を各自の前に置く。茶の量は三四滴に過ぎぬが、茶碗は頗る大きい。生壁色の地へ、焦げた丹と、薄い黄で、絵だか、模様だか、鬼の面の模様になりかゝつた所か、一寸見當の付かないものが、べたに描いてある。

「杢兵衛です」と老人が簡単に説明した。

「是は面白い」と余も簡単に賞めた。

「杢兵衛はどうも偽物が多くて、—その糸底を見て御覧なさい。銘があるから」と云ふ。

取り上げて、障子の方へ向けて見る。障子には植木鉢の葉蘭の影が暖かさうに寫つて居る。首を曲げて、覗き込むと、杢の字が小さく見える。銘は鑑賞の上に於て、左のみ大切のものとは思はないが、好事者は余程是が氣にかゝるさうだ。茶碗を下へ置かないで、其儘口へつけた。濃く甘く、湯加減に出た、重い露を、舌の先へ一しづく宛落として味つて見るのは閑人適意の韻事である。普通の人は茶を飲むものと心得て居るが、あれは間違だ。舌頭へぽたりと載せて、清いものが四方へ散れば咽喉へ下るべき液は殆どない。只馥郁たる匂が食道から胃のなかへ沁み渡るのみである。歯を用ゐるは卑しい。水はあまりに軽い。玉露に至つては濃かなる事、淡水の境を脱して、顎を疲らす程の硬さを知らず。結構な飲料である。眠られぬと訴ふるものあらば、眠らぬも、茶を用ゐよと勧めたい。

　老人はいつの間にやら、青玉の菓子皿を出した。大きな塊を、かく迄薄く、かく迄規則正しく、刳りぬいた匠人の手際は驚くべきものと思ふ。すかして見ると春の日影は一面に射し込んで、射し込んだ儘、逃がれ出づる路を失つた様な感じである。中には何も盛らぬがいゝ。（略）「支那の方へ御出でゞすか」と余は一寸聞いて見た。

「えゝ」えゝの二字では少し物足らなかつたが、其上掘つて聞く必要もないから控へた。障子を見ると、蘭の影が少し位置を変へて居る。

「なあに、あなた。矢張り今度の戦争で——これがもと志願兵をやつたものだから、それで召集されたので」（略）耳をそばだつれば彼が胸に打つ心臓の鼓動さへ聞き得る程近くに坐つて居る。其鼓動のうちには、百里の平野を捲く高き潮が今既に響いて居るかも知れぬ。運命は卒然として此二人を一堂のうちに会したるのみにて、其他には何事も語らぬ。

夏目漱石『草枕』

引用：『漱石全集第二巻』昭和41年、岩波書店 pp.474-484

「御茶が注げたから、一杯」とは、「御茶が入りましたので、どうぞ」という意味である。

御茶に使われている茶器に関する会話から骨董の披露とともに次々と展開していく。

障子に映る影が暖かそうな様子からは、春の穏やかな陽射しが想像される。後に蘭の影が少し位置を変えていく。時の経過と青年の運命を示唆しているように感じた。「葉蘭」と同音異義語に「波乱」がある。日影の描写は日露戦争における日本の情勢のメタファーであるのではと推察される。

玉露を飲んだときの「重い露」の描写は、低温の適温でいれることにより、甘みと深みをだされた美味なしずくと表現することで、玉露の中でも特に良質な質感があらわされている。主人公の感性を通じて玉露を飲んだときの清らかで馥郁な香りが体の中に沁みわたる様子は詩のように表現されている。数的のしずくを味わい深く楽しむことを閑人適意の韻事とあるが、精神性を称賛していると考えられる。また、御茶（玉露）の香からはアロマ効果で癒され、体の緊張もほぐれていくことが想像できる。結構な飲料であり、眠れなくなるからという人もいるが眠れなくなろうとも茶を用いよと勧めたいと評価している。お茶がいかに良い飲物かということがわかる。

「運命は卒然としてこの二人を一堂のうちに会したるのみにて、その他には何事も語らぬ。」とは、御茶の時間を共に過ごしたひととき、まさに「一期一会」である。「何事も語らぬ」ことは、同じ空間で御茶を一緒に飲んでいるという時間の共有がお互いの認識としてそれぞれに存在しているので会話は不要である。つまり、御茶が言葉の代わりになっている。御茶によって現実と非現実が意識付けられているように考えられる。御茶を飲んでいる時間は穏やかな今の現実であり、御茶会の終わりは相客との別れの時である。二度と会えない運命になるかもしれないという非現実の世界が先にある。もしくは、御茶の時間が非現実の世界で、既に決まっている運命が現実の世界というべきなのかもしれない。御茶でその二つの世界を行き来することができるようにとらえた。戦争にいく青年の姿は戦国時代の武将の茶の湯と等しいものである。

資料No.33

「えゝ久一君です」

「よく御存じです事」

「なに久一君丈知つてるんです。其外には何にも知りやしません。口を聞くのが嫌な人ですね」

「なに、遠慮して居るんです。まだ小供ですから……」

「小供つて、あなたと同じ位ぢやありませんか」

「ホヽヽヽさうですか。あれは私の従弟ですが、今度戦地へ行くので、暇乞に来たのです」

「こゝに留つて、ゐるんですか」

「いゝえ、兄の家に居ります」

「ぢや、わざわざ御茶を飲みに来た訳ですね」

「御茶より御白湯の方が好きなんですよ。父がよせばいゝのに、呼ぶものですから。麻痺が切れて困つたでせう。私が居れば中途から帰してやつたんですが……」

夏目漱石『草枕』

引用：『漱石全集第二巻』昭和41年、岩波書店 pp.494－495

「わざわざ」という表現を使っていることから、御茶だけのためにという解釈ができ、御茶はそれほど大事な用事にはならないことがわかる。逆説的に考えれば、たいした用事でない御茶の為に来るということは、久一にとってもっと重要なことがあるのではと考えられる。また、久一を呼んだ親戚にとって重要なこと、双方に重要なことがあると読み取ることができる。ただ、この場合においても御茶に誘うことは自然なことであることがわかる。

御茶より御白湯の方が好きな人とは、文中から久一の説明にあたるものは「まだ子ども」「口を聞くのが嫌いな人」「今度戦地へ行く人」である。

御白湯は薬を飲むときが考えられる。単に飲み物の趣向として、一般的に御茶と御白湯のどちらが好きかと問えば、御茶と答えるのではないかと思う。多くの人が考えることと異なる考えを持っている人ではなだろうか。口を聞くのが嫌いとの共通性が見られる。社交性に乏しいとも推察される。

資料No.34

「和尚さんは御出かい」

（略）

「左様か、是へ」

余は了念と入れ代る。室は頗る狭い。中に囲炉裏を切つて、鉄瓶が鳴る。和尚は向側に書見をして居た。

（略）

鉄瓶の口から煙が盛に出る。和尚は茶箪笥から茶器を取り出して、茶を注いでくれる。

「番茶を一つ御上り。志保田の隠居さんの様な甘《うま》い茶ぢやない」

「いえ結構です」

「あなたは、さうやつて、方々あるく様に見受けるが矢張り画をかく為めかの」

（略）

「あの松の影を御覧」

「綺麗ですな」

「只綺麗かな」「えゝ」

「綺麗な上に、風が吹いても苦にしない」

> 茶碗に余つた渋茶を飲み干して、糸底を上に、茶托へ伏せて、立ち上る。
> 「門迄送つてあげよう。りよう〵ねえ〵ん。御客が御帰だぞよ」
>
> 夏目漱石『草枕』
>
> 引用：『漱石全集第二巻』昭和41年、岩波書店 pp.514-520

和尚の部屋の様子から、部屋の中に床の一部を四角に切り、火がたけるようにしている場所（囲炉裏）がある。そこに鉄瓶（鉄製の湯を沸かすもの）が置かれ、既にお湯が沸いている。「鉄瓶が鳴る」というのは鉄瓶の中のお湯が沸いている状態であり、しゅんしゅんと音を立てて聞こえる様子。そして、その音は松風に例えられる。

「鉄瓶の口から煙が盛んに出る。」という描写から、鉄瓶には注ぎ口がついた薬缶のような形であることがわかる。煙が盛んに出ている状態は、沸騰している状態である。

番茶は日常使いの御茶である。番茶は高温でいれる御茶である。

「番茶を一つ御上り」と番茶をどうぞと御客に勧めている。親しい間柄でなければ御客に番茶はださないのではないだろうか。和尚は突然の御客を自室に通し、まず番茶を出している。禅寺と想像され、茶礼とも考えられる。普段、自分で飲む御茶を一つ御上りと勧めていることから、和尚は御客に対して特別な存在であると感じられる。少なくとも親しみをもって接しているといえる。そして、御茶を飲みながらの会話がはじまっていく。後になるにしたがい二人の会話は、多くを語らずともお互いを察していることから信頼関係が生まれてきていることが読み取られる。

「松」は女（那美さん）のことでもあると考えられる。彼女は何があっても平常心を保ち辛い姿を見せない、弱音をはかない女性と物語っているように思われた。

「渋茶」から、番茶を幾度かいれてもらったことがわかる。茶碗に少し最後に残っていたわずかな御茶は、時間の経過とともに渋くなっていたことを意味し、二人の会話が長く続いていたことも想像される。

　糸底とは、陶磁器をつくるときに、ろくろから糸で切り離したときにできる、底にある低い台の部分である。「糸底を上に、茶托に伏せて」とは茶器（湯呑）を茶托に伏せることで、糸底が上にみえる様子である。ここでは、「もう御茶は入れていただかなくても結構です、ごちそうさま」という合図になっている。御客に出す特別な御茶を出さずとも良い相手、かしこまってお礼を言わずとも失礼のない様子は、まるで身内のような関係にみえるような描写である。これらのことからも、和尚と御客の心的距離が近づいていることがわかる。

資料№35

停車場前の茶店に腰を下ろして、蓬餅を眺めながら汽車論を考へた。是は寫生帖へかく訳にも行かず、人に話す必要もないから、だまつて、蓬餅を食ひながら茶を飲む。

（略）
車輪が一つ廻れば久一さんは既に吾等が世の人ではない。遠い、遠い世界へ行つて仕舞ふ。

夏目漱石『草枕』

引用：『漱石全集第二巻』昭和41年、岩波書店 pp.544-546

茶店では汽車を待っている。戦争にいく久一の見送りに来ている。汽車が出ることは遠い世界へ行くことを意味している。「現実」が迫り来る直前である。汽車が「現実」とすれば、「非現実」の世界が茶店で蓬餅と御茶を飲んでいる世界であると考えられる。

「だまって、餅を食いながら茶を飲む」とは、目の前の人が戦争に行くという最中に、季節の御菓子を御茶とともに味わうことができるのだろうか。あえて、この先のことを悲観的にならないがための時間として、そして、深刻にならないために蓬餅を食べ御茶を飲み、平静を装い、普通にふるまうことで気を紛らわしているようにも受け取られる。

言葉にして話すことで「現実」を確認することになるのだろう。意識的にだまっていることはできる。それ以外のときは、声を発している状態、つまり言葉を話しているときか、言葉を話すことができないときである。口に何か入っていれば話せない状況を作り出せる。または、普通にふるまう行為が、御茶を飲むことであるのかもしれない。しかし、「現実」に触れないことが不安を解消する手段という簡単なことではないと思われる。現実を認識することを避けるのではなく、非現実の世界でもなく、現実から離脱した心の中で対話することで現実を受け入れていると思われる。よって、「だまって、餅を食いながら茶を飲む」のである。御茶が言葉の代わりであり、一緒に御茶を飲むことで心の中の会話が成り立つのではないかと考えられる。

資料№36

「それで面白い趣向があるから是非一所に来いと仰しやるので」と客は落ち付いて云ふ。「何ですか、其西洋料理へ行つて午飯《ひるめし》を食ふのに付いて趣向があるといふのですか」と主人は茶を続ぎ足して客の前へ押しやる。「さあ、其趣向といふのが、其時は私にも分らなかつたんですが、何づれあの方の事ですから、何か面白い種があるのだらうと思ひまして…」「一所に行きましたか、なる程」「所が驚いたのです」主人はそれ見たかと云はぬ許りに、膝の上に乗つた吾輩の頭をぽかと叩く。

夏目漱石『吾輩は猫である』

引用：『漱石全集第一巻』昭和40年、岩波書店p.46

主人は茶を注ぎ足し、お茶を飲みながらもっと会話を続けようとの意が感じられる。お客が落ちついた口調で話している。一方、主人は大変興味を持って聞いている。それ見たかと言わぬばかりに、膝の上の猫の頭をたたいているという一連の言語行動からは、興奮している様子がわかる。迷亭君の話しに主人は興味がある。訪ねて来たお客は主人の興味のある話題で本題に入るまえの冗長性のある会話を続けている。

主人は、お茶で間をもたせていることがわかる。そして、お茶を注いだ主人に主導権があることが感じられる。

資料№37

> 東風君は冷たくなつた茶をぐつと飲み干して「實は今日参りましたのは、少々先生に御願があつて参つたので」と改まる。「はあ、何か御用で」と主人も負けずに済ます。「御承知の通り、文學美術が好きなものですから……」「結構で」と油を注す。「同志丈がよりまして先達てから朗読會といふのを組織しまして、毎月一回會合して此方面の研究を是から続け度い積りで、既に第一回は去年の暮に開いた位であります」(略)
>
> 夏目漱石『吾輩は猫である』
>
> 引用：『漱石全集第一巻』昭和40年、岩波書店 p.50

東風君の話題はつきたのである。冷たくなったお茶というのは、お茶を注ぎ足されて以来飲んでいない、お茶が冷めるほどの時間を本題に入る前に話をしていたことが想像される。冷たくなったお茶は、好ましいものではない。そのまま置いておけばいいお茶を一気に飲んでいることから、本題に入る決心が伺える。咽喉の渇きを癒すとともにお願いを申し出ている。主人はお茶を注ぎ足していない。しかし、「油を注ぐ」という意味は、勢いを盛んにするたとえで人をおだてることであり、会話を楽しんでいるように思われる。

資料No.38

「どうも御退屈様、もう帰りませう」と茶を注ぎ易へて迷亭の前へ出す。「どこへ行つたんですかね」「どこへ参るにも断はつて行つた事の無い男ですから分りかねますが、大方御医者へでも行つたんでせう」（略）

夏目漱石『吾輩は猫である』
引用：『漱石全集第一巻』昭和40年、岩波書店 p.89

出かけた主人を待っているお客（迷亭）に、奥さんが申し訳なく感じ、儀礼のお茶を再度出している。お茶でも飲んで待っていてくださいという意味がある。お茶は間をもたせる役割を担っている。そして、迷亭はお茶を飲みながら奥さんに話しかけている。お茶をだしてもらったことで、会話をするきっかけになっている。

資料No.39

「此間ピン助に遭つたら、私の學校にや妙な奴が居ります。生徒から先生番茶は英語で何と云ひますと聞かれて、番茶はsavage teaであると眞面目に答へたんで、教員間の物笑ひとなつて居ます、どうもあんな教員があるから、ほかのもの〻、迷惑になつて困りますと云つたが、大方あいつの事だぜ」

夏目漱石『吾輩は猫である』

引用：『漱石全集第一巻』昭和40年、岩波書店p.122

生徒から、授業と無関係であろう質問に対しても誠実に答え、真面目な教師像がわかる。

番茶が庶民の生活で身近な存在であることが想像される。番茶とは、煎茶を摘んだ後のかたくなった葉を使用してつくられる廉価なお茶である。教師をからかっているような印象が伺われる。

資料No.40

「もうい〻加減に博物館へでも献納してはどうだ。首縊りの力學の演者、理學士水島寒月君ともあらうものが、売れ残りの旗本の様な出で立をするのはちと體面に関する譯だから」「御忠告の通りに致してもい〻のですが、此紐が大変よく似合ふと云つて呉れる人もありますので―」「誰だい、そんな趣味のない事を云ふのは」と主人は寝返りを打ちながら大きな聲を出す。「それは御存じの方なんぢやないんで―」「御存じでなくてもい〻や、一體誰だい」「去る女性《にょしょう》なんです」「ハヽヽヽ、餘程茶人だなあ、當て〻見様か、矢張り隅田川の底から君の名を呼んだ女なんだらう、其羽織を着てもう一返御駄佛を極め込んぢやどうだい」と迷亭が横合いから飛び出す。「へ、、、、、もう水底から呼んでは居りません。こゝから乾の方角にあたる清浄な世界で……」「あんまり清浄でもなさゝうだ、毒々しい鼻だぜ」「へえ?」と寒月は不審な顔をする。「向ふ横丁の鼻がさつき押しかけて来たんだよ、こゝへ、實に僕等二人は驚いたよ、ねえ苦沙彌君」「うむ」と主人は寝ながら茶を飲む。「鼻つて誰の事です」「君の親愛なる久遠の女性の御母堂様だ」「へえー」(略)

夏目漱石『吾輩は猫である』

引用:『漱石全集第一巻』昭和40年、岩波書店 pp.126-127

『広辞苑 第七版』によると、茶人とは「①茶の湯を好む人。茶道に通じた人。②変わったことを好む人。一風変わった物好き。」とある。この描写からは②にあたる。

「寝ながら茶を飲む」というのは自宅で横になってくつろいでいる様子である。横になった姿勢でお茶を飲むほどお互いに気心が知れた仲間との軽く扱える話題であることがわかる。

資料No.41

是も昔しの同窓と見えて両人共應對振りは至極打ち解けた有様だ。

「うん迷亭か、あれは池に浮いている金魚麩の様にふわふわしてゐるね。先達て友人を連れて一面識もない華族の門前を通行した時、一寸寄つて茶でも飲んで行かうと云つて引つ張り込んださうだ

が随分呑氣だね」（略）

引用：『漱石全集第一巻』昭和40年、岩波書店 p.333 夏目漱石『吾輩は猫である』

回想された内容である。共通の人物について（迷亭）の話をしている。金魚麩は金魚の餌である。水面に浮き、金魚が見つけて食べなければ、ふわふわし浮遊し続けしだいにふやけていく。人物の有様を金魚麩に例えている比喩表現である。行き当たりばったりで気ままな性格が想像される。エピソードとして、見知らぬ華族の家の前を通ったときにお茶でもと言って連れの者を引っ張って入っている。『日本文法大辞典 第二版』によると、「でも」は助詞で、「お茶でも」の場合、係助詞として体言＋助詞で一体言に相当するものに結びつく。物事を限定せず、軽く大体を指すのに用いられることから、「お茶」が必ずしも目的ではなく、ただふざけて人々を驚かせたり、突拍子のないことを行い刺激を味わいたかったことが考えられる。

一般的に来客には、儀礼的にお茶が出されることからお茶が口実になっている。

資料No.42

（略）業つきて何物をか遺す。苦沙彌先生よろしく御茶でも上がれ。…（略）

夏目漱石『吾輩は猫である』

（手紙の一部）

注釈によれば、「禅語の『喫茶去』をくだいて言ったもの。あれこれと思惑してもどうにもならないではないか。まあ少し腰をおちつけて頭をひとつ冷やしてみようではないか、お茶を飲むときはお茶を飲むことさ。といった意。」とある。

「よろしく」は副詞であり、形容詞「よろし」の連用形からなる。程よく、適当にという意味がある。手紙の言語活動は、談話の代用である。「御茶でも上がれ」と依頼表現で記されている。助言を施す親しい間柄である人物からの手紙と想像される。

引用：『漱石全集第一巻』昭和40年、岩波書店 p.354

資料No.43

（略）「さうでなくても構はないさ。どうせ氣狂だもの。夫れつきりかい」

「まだある。苦沙彌先生御茶でも上がれと云ふ句がある」

「アハヽヽ御茶でも上がれはきびし過ぎる。夫で大に君をやり込めた積りに違ない。大出来だ。天道公平君萬歳だ」と迷亭先生は面白がつて、大に笑ひ出す。

夏目漱石『吾輩は猫である』

引用：『漱石全集第一巻』昭和40年、岩波書店 p.374

天道公平という人物からの手紙についての会話である。「御茶でも上がれ」という言葉がきびし過ぎるという表現からは受取人の現状を言い当てている。

資料No.44

所へ後ろの襖をすうと開けて、雪江さんが一碗の茶を恭しく坊主に供した。平生なら、そらサヱヂ、チーが出たと冷やかすのだが、主人一人に對してすら痛み入つて居る上へ、妙齢の女性が學校で覚え立ての小笠原流で、乙に氣取つた手つきをして茶碗を突き付けたのだから、坊主は大に苦悶の體に見える。雪江さんは襖をしめる時に後ろからにやにやと笑つた。して見ると女は同年輩でも中々えらいものだ。坊主に比すれば遥かに度胸が据はつて居る。

夏目漱石『吾輩は猫である』

引用：『漱石全集第一巻』昭和40年、岩波書店 p.430

「恭しく」という形容詞からはお茶を丁寧に出していることがわかる。乙に気取った手つきとは、乙というのは気のきいた様子であり、学校で習った小笠原の作法を見事に披露したということである。同い年位の男性の来客を前に臆することなく、お茶を出したのである。それに対し、来客は主人一人に対しても緊張の面持ちであったところに、身に余る丁寧な作法でお茶を出され「苦悶の体」に見えたことから、どうしてよいかわからず身動きができない様子が読み取られる。雪江さんが襖をしめる時に後ろからにやにやと笑ったとの描写からは、後ろという来客に見えないところで声をださずに笑っている。にやにやという擬態語は感覚的に相手に訴えかけるものである。独りで悦に入ったり、照れたり、おかしかったりするものである。雪江さんは自分の行動に満足するとともに坊主の緊張をおもしろがっていたかもしれない。雪江さんの一連の行動は来客と対照的であり、二項対立により来客の小心さを際立たせている。

この場合のお茶は緊張している人（来客）に対し、丁寧で形式あるお茶を供することでより緊張感をもたせる結果に繋がっている。

平生なら「そらサエヂ、チー（番茶）がでた」と冷やかすとあるのは、（資料39）の学生と想像される。

資料No.45

茶の間では細君がくすくす笑ひながら、京焼の安茶碗に番茶を浪々と注いで、アンチモニーの茶托の上へ載せて、
「雪江さん、憚りさま、之を出して来て下さい」「わたし、いやよ」「どうして」と細君は少々驚いた體で笑ひをはたと留める。
「どうしてでも」と雪江さんはやに済した顔を即席にこしらへて、傍にあつた読売新聞の上にのし

かゝる様に眼を落した。細君はもう一應協商を始める。
「あら妙な人ね。寒月さんですよ。構やしないわ」

夏目漱石『吾輩は猫である』

引用：『漱石全集第一巻』昭和40年、岩波書店 p.444

くすくす笑っているのは、その後（資料44）の状況がおかしくて笑っていると思われる。（坊主は教え子の一人で、きどった女生（寒月さんが結婚するとされるであろう人）にいたずらで手紙を書いた）憚りさまとは、相手をねぎらうことばである。もう一度お茶を出してきてほしいとの意味である。雪江さんがお茶を出すのを嫌がった理由は、先に小笠原流で丁寧にお茶を出した。その自分が誇らしかったのである。常連の寒月さんだから番茶でも良いと主人の奥さんが入れたお茶を、自分が出すことはプライドが許さずはずかしいと思ったのであろう。奥さんに対して、粗末なお茶を自分がだすのは嫌だと失礼なことを言えず問答が繰り返されている。（奥さんと雪江さんの関係は姪である）

お茶は様々なスタイルがあり、ＴＰＯに合わせ茶器、使うお茶の種類なども変えることが可能である。

資料No.46

「何、日が暮れたら寒いだろうと思つて」と小六は云譯を半分しながら、嫂の後に跟いて、茶の間へ通つたが、縫ひ掛けてある着物へ眼を着けて、「相変らず精が出ますね」と云つたなり、長火鉢の前へ胡坐をかいた。嫂は裁縫を隅の方へ押し遣つて置いて、小六の向へ来て、一寸鉄瓶を卸して炭を継ぎ始めた。
「御茶なら澤山です」と小六が云つた。「厭?」と女學生流に念を押した御米は、「ぢや御菓子は」と云つて笑ひかけた。「有るんですか」と小六が聞いた。

夏目漱石『門』

引用:『漱石全集第四巻』昭和41年、岩波書店 p.631

(小六は学校から帰ってきたところである)

小六が長火鉢の前へ胡坐をかいたので、嫂は裁縫をの手をとめて炭を継ぎ始めた。しかし、「お茶なら沢山です」と断っている。「なら」は、その前のことがらを仮定し話し手の判断、命令、希望、意思など述べる場合に用いる。「お茶は欲しくない」という意思表示である。お茶を飲みながらの嫂との会話を好まなかったのかもしれない。嫂はお茶は嫌なのですかと確認するという意味で「厭?」と念を押している。発話では文章にみられる疑問符はなく、パラ言語の昇調で表される。文末詞を伴わない質問はこのような対話場面にあらわれ、相手の意思や判定を要求する意味として働いている。そして、相手の判断を受け、次の発話「ぢや御菓子は」となり、発話と同時に笑いかけている。これは、言語と表情、身体動作などさまざまな伝達機能を働かせ相手に気持ちを伝えようとしていることが判る。

女学生流という表現から、相手にかわいらしく見せるような、一種の甘えた様子が伺える。お茶は要らなかったが、お茶を入れるという行為から会話が続いている。「お茶なら沢山」ということばに、お茶は要らない、欲しくないという意味であり逆説的にいつもお茶を入れる習慣が読み取られる。来客の際、家のものが外から戻った時などに出される儀礼または習慣的なお茶であることがわかる。

資料No.47

「どうして、まあ殺されたんでせう」と御米は號外を見たとき、宗助に聞いたと同じ事を又小六に向かつて聞いた。

「短銃をポンポン連発したのが命中したんです」と小六は正直に答えた。

「だけどさ。何うして、まあ殺されたんでせう」小六は要領を得ない様な顔をしてゐる。宗助は落付いた調子で、「矢つ張り運命だなあ」と云つて、茶碗の茶を旨さうに飲んだ。御米はこれでも納得が出来なかつたと見えて、「どうして又満洲などへ行つたんでせう」と聞いた。「本當にな」と宗助は腹が張つて充分物足りた様子であつた。「何でも露西亜に秘密な用があつたんださうです」と小六が眞面目な顔をして云つた。御米は、「さう。でも厭ねえ。殺されちや」と云つた。「己《おれ》見た様な腰辨は、殺されちや厭だが、伊藤さん見た様な人は、哈爾賓へ行つて殺される方が可いんだよ」

と宗助が始めて調子づいた口を利いた。

引用：『漱石全集第四巻』昭和41年、岩波書店 p.644　夏目漱石『門』

戦争にかかわる話題は非常に繊細で重い内容である。しかも、要人が暗殺されたことを運命と言い、直後に茶碗の茶をうまそうに飲んだとある。この描写からは、まるで他人事のように扱っている。助動詞「そうだ」は伝聞と様態の意味がある。この場合、うまそうには形容詞（うまい）に接続し様態をあらわし「おいしそうに」になる。発話内容に自分で納得、満足している様子である。「その通りだ」という非言語コミュニケーション表現ととることができる。

お茶を飲む様子に自分の気持ちを表している。

資料No.48

台所から清が出て来て、食い散らした皿小鉢を食卓ごと引いて行つた後で、御米も茶を入れ替へるために、次の間へ立つたから、兄弟は差向ひになつた。「あゝ綺麗になつた。何うも食つた後は汚いものでね」と宗助は全く食卓に未練のない顔をした。勝手の方で清がしきりに笑つてゐる。「何がそんなに可笑しいの、清」と御米が障子越に話し掛ける声が聞えた。清はへえと云つて猶笑ひ出した。兄弟は何にも云はず、半ば下女の笑い声に耳を傾けてゐた。

> しばらくして、御米が菓子皿と茶盆を両手に持つて、又出て来た。藤蔓の着いた大きな急須から、胃にも頭にも應へない番茶を、湯呑程な大きな茶碗に注いで、両人の前へ置いた。
> 「何だつて、あんなに笑ふんだい」と夫が聞いた。けれども御米の顔は見ずに却つて菓子皿の中を覗いてゐた。「貴方があんな玩具を買つて来て、面白さうに指の先へ乗せて入らつしやるからよ。子供もない癖に」
> 宗助は意にも留めない様に、軽く「さうか」と云つたが、後から緩くり、「是でも元は子供が有つたんだがね」と、さも自分で自分の言葉を味はつてゐる風に付け足して、生温い眼を挙げて細君を見た。御米はぴたりと黙つて仕舞つた。「あなた御菓子食べなくつて」と、しばらくしてから小六の方へ向いて話し掛けたが、「えゝ食べます」と言う小六の返事を聞き流して、ついと茶の間へ立つて行つた。兄弟は又差向いになつた。
>
> 夏目漱石『門』
>
> 引用：『漱石全集第四巻』昭和41年、岩波書店 pp.646-647

食後のあとの御菓子とお茶であることがわかる。

胃にも頭にも応えない番茶とは、薄いお茶であったことがわかる。目覚まし薬にもならない、お茶を飲むことですっきりするような気分転換も期待できないような薄い番茶。藤蔓は、工芸品の材料によく用いられる。『知恩院』の仏教説話「黒白二（こくびゃくに）鼠（そ）の喩（たとえ）」によれば「藤蔓」は寿命であり「人の命」を表している。藤蔓の着いた大きな急須はお米を表象していると考えた。食後のお菓子とお茶の時間に会話の機会が生じている。夫の問にお米は、顔を見ずに答えている。子どもが無事に育つかどうかなど、何か心の中に不安があるのではないかと思われる。
湯呑ほどの大きな茶碗にお茶を注いで兄弟の前に置いたという描写からは、一度に多めのお茶を注ぐことで度々構わずに済むことから、お米は兄弟二人の時間を設けたように考えられる。

資料No.49

「何うも御苦労さま。疲れたでせう」と御米は小六を労はつた。小六は夫よりも口淋しい思がした。此間文庫を届けてやつた禮に、坂井から呉れたと云ふ菓子を、戸棚から出して貰つて食べた。御米は御茶を入れた。「坂井と云ふ人は大學出なんですか」「えゝ、矢張左様なんですつて」小六は茶を飲んで煙草を吹いた。やがて、「兄さんは増俸の事をまだ貴方に話さないんですか」と聞いた。「いゝえ、些とも」と御米が答えた。「兄さん見た様になれたら好いだらうな。不平も何もなくつて」御米は特別の挨拶もしなかつた。小六は其儘起つて六畳へ這入つたが、やがて火が消えたと云つて、火鉢を抱えて又出て来た。彼は兄の家に厄介になりながら、もう少し立てば都合が付くだらうと慰めた安之助の言葉を信じて、學校は表向休學のていにして一時の始末をつけたのである。

夏目漱石『門』

引用：『漱石全集第四巻』昭和41年、岩波書店 p.722

「口淋しい」は、形容詞である。何か口に入れるものが欲しい感じである。坂井が呉れたお菓子を戸棚から出して貰って食べている。この場合のお茶は、労をねぎらう休憩のお茶である。お菓子と共に供された。

「呉れる」という授受動詞には人間関係が含まれる。行為者である坂井と受け手（宗助：小六の兄）の上下関係が明らかにされている。坂井の身分が強調され、描写は次に小六は御米に坂井のことを尋ねる質問をしている。質問によってさらなるコミュニケーションが生まれている。小六はお茶を飲み一息入れたことがわかる。そして、話題を変えている。煙草は一般的に「吸う」（動詞）と使われるところ「吹く」（動詞）が用いられている。『広辞苑 第七版』によると、「『吹く』は、気体が動きを起こす意。転じて、ものの内部から勢いがわきあがって何かを生ずる意。」である。義姉に対して、裕福な坂井の話題に続き、兄の増俸を話題にすることは心の中にある兄夫婦に対する複雑な気持ちを含み、思いきった内容であったことが察せられる。

資料No.50

「座敷の眞中にそんなものを据ゑて、今日は何うしたんだい」「でも、御客も何もないから可いでせう。だつて六畳の方は小六さんが居て、塞がつてゐるんですもの」
宗助は始めて自分の家に小六の居る事に氣が付いた。襯衣《シャツ》の上から暖かい紡績織を掛けて貰つて、

> 帯をぐるぐる巻き付けたが、「こゝは寒帯だから炬燵でも置かなくちや凌げない」と云つた。小六の部屋になつた六畳は、畳こそ綺麗でないが、南と東が開いてゐて、家中で一番暖かい部屋なのである。
> 宗助は御米の汲んで来た熱い茶を湯呑から二口程飲んで、「小六はゐるのかい」と聞いた。小六は固《もと》より居た筈である。けれども六畳はひつそりして人のゐるようにも思はれなかつた。御米が呼びに立とうとするのを、用はないから可いと留めた儘、宗助は炬燵蒲団の中へ潜り込んで、すぐ横になつた。
>
> 夏目漱石『門』
>
> 引用：『漱石全集第四巻』昭和41年、岩波書店 pp.727-728

夫婦団欒の時間に主人に出されたお茶である。熱いお茶を二口ほど飲むという描写からは、お茶をゆっくり味わうのではなく、取り急ぎお茶を少し飲んでいる様子である。お米の言葉を受けて、お茶を飲むことより、小六のことが気になっていることが想像される。

座敷の真中に炬燵を設置している。「御客も何もないから」という表現から来客があれば迎えるところでもあることが想像された。宗助の様子からは家族の団欒の空間であることもわかる。つまり、「茶の間」と考えられる。西川（２００４）によれば「『茶の間』は食事空間であるばかりか夜は就寝空間となる」と記されている。

資料No.51

坂井の主人は在宅ではあつたけれども、食事中だと云ふので、しばらく待たせられた。宗助は座に着くや否や、隣の室で小さい夜具を干した人達の騒ぐ声を耳にした。下女が茶を運ぶために襖を開けると、襖の影から大きな眼が四つ程既に宗助を覗いてゐた。火鉢を持つて出ると、其後から又違つた顔が見えた。

夏目漱石『門』
引用：『漱石全集第四巻』昭和41年、岩波書店 p.731

訪問先の坂井宅で、主人が出てくるまでに出された儀礼のお茶である。坂井の子どもたちの描写からは天真爛漫で元気な子どもたちがいる明るい家庭が垣間見られた。下女はお茶の後に火鉢を用意していることから寒い季節であることがわかる。

資料No.52

夫でも冷たい雨が横に降つたり、雪融けの道がはげしく泥《ぬか》つたりする時は、着物を濡らさなければならず、足袋の泥を乾かさなければならない面倒があるので、如何な小六も時によると、外出を見合わせる事があつた。さう云ふ日には、実際困却すると見えて、時々六畳から出て来て、のそりと火鉢の傍へ坐つて、茶などを注いで飲んだ。そうして其所に御米でもゐると、世間話の一つや二つはしないとも限らなかつた。「小六さん御酒好き」と御米が聞いた事があつた。「もう直御正月ね。貴方御雑煮いつく上がつて」と聞いた事もあつた。
　さう云ふ場合が度重なるに連れて、二人の間は少しづゝ近寄る事が出来た。仕舞には、姉さん一寸こゝを縫つて下さいと、小六の方から進んで、御米に物を頼む様になつた。

夏目漱石『門』
引用：『漱石全集第四巻』昭和41年、岩波書店 p.740

小六はなるべく外出を心掛けているようにも読み取ることができる。家で兄夫婦と過ごすことは好まないのかもしれない。しかし、お茶を飲んで寛ぎの時間を共有することで会話が生まれている。会話を重ねることでお互いの距離感が縮まっていることが描写されている。

資料No.53

　或時宗助が例の如く安井を尋ねたら、安井は留守で、御米ばかり淋しい秋の中に取り残されたように一人坐つてゐた。宗助は淋しいでせうと云つて、つい座敷に上がり込んで、一つ火鉢の両側に手を翳しながら、思つたより長話をして帰つた。或時宗助がぽかんとして、下宿の机に倚りかゝつた儘、珍しく時間の使ひ方に困つていると、ふと御米が遣つて来た。其所迄買物に出たから、序に寄つたんだとか云つて、宗助の薦める通り、茶を飲んだり菓子を食べたり、緩くり寛いだ話をして帰つた。

夏目漱石『門』
引用：『漱石全集第四巻』昭和41年、岩波書店 p.791

安井のところにいる御米に対して、宗助が気になっていることがわかる。描写からはお互いに心的距離が近いことがわかる。御米は序でという言葉を用いているが、口実を作り宗助に会いに行っている。そして、宗助は御米をお茶やお菓子でもてなしている。時間を共有することでより一層二人は距離を縮めている。

資料№54

翌日宗助は例の如く起きて、平日と變る事なく食事を済ました。さうして給仕をして呉れる御米の顔に、多少安心の色が見えたのを、嬉しい様な憐れな様な一種の情緒を以て眺めた。「昨夕は驚ろいたわ。何うなすつたのかと思つて」

宗助は下を向いて茶碗に注いだ茶を呑んだ丈であつた。何と答へてゐゝか、適當な言葉を見出さなかつたからである。

夏目漱石『門』
引用：『漱石全集第四巻』昭和41年、岩波書店 p.816

下を向いて茶碗に注いだお茶を呑んだだけであった。呑むという字が用いられていることから、言葉を呑むに繋がっている。何と答えていいか、適当な言葉を見出さなかったと理由が記されている。「見出せなかった」のではなく敢えて「見出さなかった」のである。お茶を飲むことで黙っているという不自然さを感じさせずにいられるのである。単にお茶を飲んでいるようにカモフラージュができる。心の内を隠す、悟られないようにできる。平静を装うことができると思われた。

資料No.55

そこで平岡は八の字を寄せて、庭の模様を眺め出したが、不意に語調を更へて、「やあ、櫻がある。今漸やく咲き掛けた所だね。余程氣候が違ふ」と云つた。話の具合が何だか故の様にしんみりしない。代助も少し氣の抜けた風に、「向ふは大分暖かいだらう」と序同然《ついでどうぜん》の挨拶をした。すると、今度は寧ろ法外に熱した具合で、「うん、大分暖かい」と力の這入つた返事があつた。恰も自己の存在を急に意識して、はつと思つた調子である。代助は又平岡の顔を眺めた。平岡は巻莨に火をつけた。其時婆さんが漸く急須に茶を淹れて持つて出た。今しがた鉄瓶に水を注して仕舞つたので、煮立るのに暇が入つて、つい遅くなつて済みませんと言譯をしながら、洋卓《テーブル》の上へ盆を載せた。二人は婆さんの喋舌てる間、紫檀の盆を見て黙つてゐた。婆さんは相手にされないので、獨りで愛想笑ひをして座敷を出た。

「ありや何だい」「婆さんさ。雇つたんだ。飯を食はなくつちやならないから」「御世辞が好いね」

代助は赤い唇の両端を、少し弓なりに下の方へ彎げて蔑む様に笑つた。

「今迄斯んな所へ奉公した事がないんだから仕方がない」

「君の家《うち》から誰か連れて来れば好のに。大勢ゐるだらう」

「みんな若いの許りでね」と代助は眞面目に答へた。平岡は此時始めて声を出して笑つた。

夏目漱石『それから』

引用：『漱石全集第四巻』昭和41年、岩波書店pp.326-327

平岡が代助を訪ねてきている。来客に出される儀礼のお茶である。お茶を出すことが遅くなったことに対し、すみませんという謝罪のことばに、来客があればすぐに出されるものであることがわかる。奉公になれていないとの発話から、来客時にお茶の準備が遅くなることは失礼であることが読み取ることができる。

資料No.56

代助は其所へ能く遊びに行つた。始めて三千代に逢つた時、三千代はただお辞儀をした丈で引込んで仕舞つた。代助は上野の森を評して帰つて来た。二返行つても、三返行つても、三千代はただ御茶を持つて出る丈であつた。

夏目漱石『それから』

引用：『漱石全集第四巻』昭和41年、岩波書店 p.411

三千代は、儀礼のお茶として来客である代助にお茶を出している。何度目かになれば顔見りになり、ことばを交わすことがあっても不自然ではないところ、「ただ」は副詞でそれよりほかにないことを強調して表している。代助は三千代に関心があることがわかる。お茶を出すだけであっても相手にその存在を意識づけることがわかる。挨拶同様に存在を認める交話的機能があると言える。

資料No.57

父はまづ眼鏡を外した。それを読み掛けた書物の上に置くと、代助の方に向き直つた。さうして、ただ一言、「来たか」と云つた。其語調は平常よりも却つて穏な位であつた。代助は膝の上に手を置きながら、兄が真面目な顔をして、自分を担いだんぢやなかろうかと考へた。代助はそこで又苦い茶を飲ませられて、しばらく雑談に時を移した。今年は芍薬の出が早いとか、茶摘歌を聞いてゐると眠くなる時候だとか、何所とかに、大きな藤があつて、其花の長さが四尺足らずあるとか、話は好《い》加減《かげん》な方角へ大分長く延びて行つた。代助は又其方が勝手なので、いつ迄も延ばす様にと、後から後を付けて行つた。父も仕舞には持て余して、とうとう、時に今日御前を呼んだのはと云ひ出した。

引用：『漱石全集第四巻』昭和41年、岩波書店pp.445-446　夏目漱石『それから』

膝の上に手を置きながら考えている様子は、身ぶりによる非言語表現と見られる。構えているようにも取ることができ、父親に対してかしこまっていることがわかる。「苦い」お茶という表現は、お茶本来の味による渋さや苦みではない。形容詞「苦い」には、面白くない、不愉快である、つらい、くるしいという意味がある。お茶を飲みながら、話が続くことが代助にとってはつらく、くるしい時間になっているのである。飲みたくもない御茶を飲みながら話に付き合わされているという気持ちが伝わってくる。

父に呼ばれた主旨を理解している。その話題に触れられることがつらい理由であると思われる。お茶を飲みながら会話をするという場面は、お茶よりも他の目的があるときにも利用される。

資料No.58

「御目醒ですか」と云つて、門野が出て来た。「御茶でも入れて来ませうか」と聞いた。代助は、はだかつた胸を掻き合せながら、「君、僕の寐てゐたうちに、誰か来やしなかつたかね」と、静かな調子で尋ねた。

「えゝ、御出でした。平岡の奥さんが。よく御存じですな」と門野は平氣に答えた。
「何故起さなかつたんだ」

夏目漱石『それから』
引用：『漱石全集第四巻』昭和41年、岩波書店 p.454

「御茶でも」という表現から、特にお茶以外の他の飲み物でも良く、例示的にお茶をあげている。水分補給のお茶と考えられる。お茶は日常的に飲まれる身近な飲み物である。また、目覚めにすっきりすること、香りでリラックスすること、温かい飲み物であることなどの特徴から勧められたのではないかと考えられる。

資料No.59

代助は少しまごついて、又三千代の所へ帰つて来て、
「今すぐ持つて来て上げる」と云ひながら、折角空けた洋盃《コップ》を其儘洋卓《テーブル》の上に置いたなり、勝手の方へ出て行つた。茶の間を通ると、門野は無細工な手をして錫の茶壺から玉露を撮み出してゐた。代助の姿を見て、「先生、今直です」と言譯をした。「茶は後でも好い。水が要るんだ」と云つて、代助は自分で台所へ出た。「はあ、左様ですか。上がるんですか」と茶壺を放り出して門野も付い

て来た。

夏目漱石『それから』

引用：『漱石全集第四巻』昭和41年、岩波書店 p.460

門野は、来客に出す儀礼のお茶を用意している。来客が水を必要としていたため、代助は「茶は後でもいい。水が要るんだ」と発話している。この場合の助詞「は」は他（水）との対比であり、「が」は排他を表し（水）を強調している。代助が慌てて台所へ上がっている様子に加え、いかに今、水を必要かとしているかがわかる。そして、それは三千代をいかに大切にしているかの身体行動と見られる。茶は後でも好いとの表現からは、落ち着いてからお茶を出してもらいたいことが読み取ることができる。お茶を飲みながらゆっくり話ができるからである。

資料No.60

平岡は居なかつた。三千代は今湯から帰つた所だと云つて、團扇さえ膝の傍に置いてゐた。平生の頬に、心持暖い色を出して、もう帰るでせうから緩くりしてゐらつしやいと、茶の間へ茶を入れに立つた。髪は西洋風に結つていた。

平岡は三千代の云つた通りには中々帰らなかつた。何時でも斯んなに遅いのかと尋ねたら、笑いながら、まあ左んな所でしようと答へた。代助は其笑の中に一種の淋しさを認めて、眼を正して、三千代の顔を凝と見た。三千代は急に団扇を取つて袖の下を煽いだ。

夏目漱石『それから』
引用：『漱石全集第四巻』昭和41年、岩波書店 p.498

三千代は、代助に主人の平岡が戻るまで、ゆっくりしていてもらうようにお茶を入れにいった。日本髪を結うのではなく、西洋風に結っているところから、湯上りのあと簡単に髪をまとめたと考えられる。また、女性にとって髪は特別なものと考えられる。一方で、心の内を表す非言語表現として用いられることもある。主人に従順な日本女性に対し、自由な意思をもつ西洋女性を想起させる。つまり、三千代の心の中はすでに平岡の妻ではなく一人の女性であると思われた。

資料No.61

玄関を上つて、奥へ通る前に、例の如く一應嫂に逢つた。嫂は、「鬱陶しい御天氣ぢやありませんか」と愛想よく自分で茶を汲んで呉れた。然し代助は飲む氣にもならなかつた。
「御父さんが待つて御出でせうから、一寸行つて話をして来ませう」と立ち掛けた。嫂は不安らしい顔をして、

「代さん、成らう事なら、年寄に心配を掛けない様になさいよ。御父さんだつて、もう長い事はありませんから」と云つた。代助は梅子の口から、こんな陰氣な言葉を聞くのは始めてであつた。不意に穴倉へ落ちた様な心持がした。

夏目漱石『それから』

引用：『漱石全集第四巻』昭和41年、岩波書店 pp.578-579

嫂は、声をかけながら御茶を出すことで、代助の気持ちを和らげようとしている。お茶を飲む気にならなかった代助は、父親との話を前に御茶さえも飲めないほどの精神状態であると思われる。

資料№62

代助は此間から三千代を訪問する毎に、不愉快ながら平岡の居ない時を択まなければならなかつた。始めはそれを左程にも思はなかつたが、近頃では不愉快と云ふよりも寧ろ、行き悪い度が日毎に強くなつて来た。其上留守の訪問が重なれば、下女に不審を起させる恐れがあつた。氣の所為か、茶を運ぶ時にも、妙に疑ぐり深い眼付をして、見られる様でならなかつた。然し三千代は全く知らぬ顔をしてゐた。少なくとも上部丈は平氣であつた。

夏目漱石『それから』

引用：『漱石全集第四巻』昭和41年、岩波書店 p.585

来客時に出される儀礼のお茶である。代助は、自身の訪問が三千代に対する特別な事情から、平岡の不在時になっていることに自分でも快く思ってはいない。立場上、うしろめたさと三千代への想いが混在している。三千代は何も気にしない様子であるのに対し、代助は下女がお茶を運んでくるときの表情を目にし、自分に対して何か勘ぐられているような気持になっている。

資料No.63

私は實に先生を此雑沓の間に見付出したのである。其時海岸には掛茶屋が二軒あつた。私は不とした機会《はずみ》から其一軒の方に行き慣れてゐた。長谷辺に大きな別荘を構へてゐる人と違つて、各自に専有の着換場を拵えてゐない此所いらの避暑客には、是非共斯うした共同着換所といつた風なものが必要なのであつた。彼等は此所で茶を飲み、此所で休憩する外に、此所で海水着を洗濯させたり、此所で鹹はゆい身體を清めたり、此所へ帽子や傘を預けたりするのである。海水着を持たない私にも持物を盗まれる恐れはあつたので、私は海へ這入る度に其茶屋へ一切を脱ぎ棄てる事にしてゐた。

夏目漱石『こゝろ』

引用：『漱石全集第六巻』昭和41年、岩波書店p.7

避暑、海水浴での休憩時のお茶である。「彼ら」は三人称の代名詞。ここでは主人公をはじめとする別荘を構えていない避暑客たちをさしている。先生も含まれる。主体を「彼ら」と用いているのは雑沓を表すとともに客観視している。主人公は雑沓の間に先生を見付け出した。先生は雑沓という状態にある時間の中に包含されている。雑沓の間が、見出すための発生・成立の要因になっている。「間に」で、結ばれる雑沓という事態と見付け出したという行為には因果関係がある。そして雑沓の間にお茶を飲み、休憩したりしている。

資料No.64

> 飯になつた時、奥さんは傍に坐つてゐる下女を次へ立たせて、自分で給仕の役をつとめた。これが表立たない客に対する先生の家の仕来りらしかつた。始めの一二回は私も窮屈を感じたが、度数の重なるにつけ、茶碗を奥さんの前へ出すのが、何でもなくなつた。
> 「お茶？御飯？随分よく食べるのね」
> 奥さんの方でも思ひ切つて遠慮のない事を云ふことがあつた。然し其日は、時候が時候なので、そんなに調戯《からか》はれる程食欲が進まなかつた。
>
> 夏目漱石『こゝろ』
> 引用：『漱石全集第六巻』昭和41年、岩波書店 pp.89-90

食事のときにお茶も供されていることがわかる。茶碗を奥さんの前に出すことは「もう一杯おかわりを」という意味である。「度数の重なるにつれ」という時間経過によって、慣れ、相互理解に繋がっている。しだいに先生の奥さんに対して遠慮なく申し出ることができるほど、奥さんも遠慮のない事を言うことがある「表立たない客」という関係になっている。

資料No.65

父の實の弟ですけれども、さういふ点で、性格からいふと父とは丸で違つた方へ向いて発達した様にも見えます。父は先祖から譲られた遺産を大事に守つて行く篤実一方の男でした。楽みには、茶だの花だのを遣りました。それから詩集などを読む事も好きでした。書画骨董といつた風のものにも、多くの趣味を有つてゐる様子でした。

夏目漱石『こゝろ』
引用：『漱石全集第六巻』昭和41年、岩波書店 p.158

（先生からの手紙の一部）

篤実とは情が深く誠実な意味である。「だの」は並列であり、茶、花は列挙され同列にある。父の楽しみが茶、花、詩集を読むこと、書画骨董である。好ましい趣味であるにもかかわらず、語り手の父に対する物足りなさが感じられる。叔父は反対の性格であることがわかる。（父の信頼があった叔父に、両親の死後、裏切られた）

資料No.66

私は移つた日に、其室の床に活けられた花と、其横に立て懸けられた琴を見ました。何方《どっち》も私の氣に入りませんでした。私は詩や書や煎茶を嗜む父の傍で育つたので、唐めいた趣味を小供のうちから有《も》つてゐました。その為でもありませうか、斯ういふ艶めかしい装飾を何時の間にか軽蔑する癖が付いてゐたのです。

夏目漱石『こゝろ』
引用：『漱石全集第六巻』昭和41年、岩波書店 p.175

（先生からの手紙の一部）
語り手の手紙による回想である。
詩、書、煎茶など唐めいた趣味にはじっくり自分と向き合う内面的な側面が感じられる。一方、勝手に部屋の床に活けられた花や立て懸けられた琴は対照的で外見的にもわかりやすい女性の嗜みである。人に裏切られた経験から心の奥に歪があったため、はじめからそこに立て懸けられていた琴、歓迎の花を素直にくみ取れず、軽蔑して気に入らなかったのではないかと考察した。

資料No.67

私の心が静まると共に、私は段々家族のものと接近して来ました。奥さんとも御嬢さんとも笑談《じょうだん》を云ふやうになりました。茶を入れたからと云つて向ふの室へ呼ばれる日もありました。また私の方で菓子を買つて来て、二人を此方へ招いたりする晩もありました。私は急に交際の区域が殖えたやうに感じました。それがために大切な勉強の時間を潰される事も何度となくありました。不思議にも、その妨害が私には一向邪魔にならなかつたのです。奥さんはもとより閑人でした。御嬢さんは學校へ行く上に、花だの琴だのを習つてゐるんだから、定めて忙しからうと思ふと、それがまた案外なもので、いくらでも時間に余裕を有《も》つてゐるやうに見えました。それで三人は顔さへ見ると一所に集まつて、世間話をしながら遊んだのです。

夏目漱石『こゝろ』

引用：『漱石全集第六巻』昭和41年、岩波書店 p.180

（先生からの手紙の一部）

お茶に誘われている。お菓子を買って招待するときもお茶を飲むことが考えられる。お茶がコミュニケーションを活発にしている要素の一つであることがわかる。大切な勉強の時間を潰されても邪魔にならないということは、最も大切な時間になっていたと考えられる。部屋へ呼ぶ理由を「お茶を入れたから」とある。お茶を一緒に飲みましょうと誘っているのである。そして、相手に尋ねる前であり、断らないことがわかっているのである。話し手は「もありました。」と二つ目の例を挙げている。お互いに相手が誘いを受け入れていることがわかる。身近に存在し、好意があり冗談も言い合える関係である。しかし、本当に気心が知れた間柄では、理由がなくとも一緒に過ごす時間は作り出せる。私（話し手）とお嬢さん、奥さんの間には心理的な距離が存在していたのではないかと思われる。

資料No.68

其日は時間割からいふと、Kよりも私の方が先へ帰る筈になつてゐました。私は戻つて来ると、其積で玄関の格子をがらりと開けたのです。すると居ないと思つてゐたKの声がひよいと聞こえました。同時に御嬢さんの笑ひ声が私の耳に響きました。私は何時ものやうに手数のかゝる靴を穿いてゐないから、すぐ玄関に上がつて仕切の襖を開けました。私は例の通り机の前に坐つてゐるKを見ました。然し御嬢さんはもう其所にはゐなかつたのです。私は恰もKの室から逃れ出るやうに去る其後姿をちらりと認めた丈でした。私はKに何うして早く帰つたのかと問ひました。Kは心持が悪いから休んだのだと答へました。私が自分の室に這入つて其儘坐つてゐると、間もなく御嬢さんが茶を持つて来て呉れました。其時御嬢さんは始めて御帰りといつて私に挨拶をしました。私は笑ひながらさつきは何故逃げたんですと聞けるやうな捌けた男ではありません。それでゐて腹の中では何だか其事が氣にかゝるような人間だつたのです。御嬢さんはすぐ座を立つて縁側伝いに向ふへ行つてしまひました。然しKの室の前に立ち留まつて、二言三言内と外とで話をしてゐました。それは先刻の続きらしかつたのですが、前を聞かない私には丸で解りませんでした。

引用：『漱石全集第六巻』昭和41年、岩波書店 pp. 227－228 夏目漱石『こゝろ』

（先生からの手紙の一部）

語り手は、帰ったときに、自分の存在に反応してもらいたかったのだろうと感じた。お嬢さんがお茶を持って来てくれて、その時始めてお帰りといって挨拶をしている。帰ってから自分の部屋で座っているまでの時間経過がある。そして、お茶を持ってくるという用事がなければお帰りと挨拶さえなかった可能性も考えられる。慣例としてのお茶であっても存在を確認するきっかけになっていることがわかる。

資料№69

敬太郎はさつきから氣の毒なる先覺者とでも云つた様に相手を考へて、其云ふ事に相應の注意を拂つて聞いてゐたが、なまじい酒を飲ましたためか、今日は何時もより氣燄《きえん》だの愚痴だのが多くつて、例のやうに純粋の興味が湧かないのを残念に思つた。好い加減に酒を切り上げて見たが、矢つ張り物足らなかつた。夫で新しく入れた茶を勧めながら、

「貴方の経歴談は何時聞いても面白い。夫許でなく、僕のやうな世間見ずは、御話を伺ふたんびに

利益を得ると思つて感謝してゐるんだが、貴方が今迄遣つて来た生活のうちで、最も愉快だつたのは何ですか」と聞いて見た。森本は熱い茶を吹き吹き、少し充血した眼を二三度ぱちつかせて黙つてゐた。やがて深い湯呑を干して仕舞ふと、斯う云つた。
「さうですね。遣つた後で考へると、みんな面白いし、又みんな詰らないし、自分ぢや一寸見分が付かないんだが。──全體愉快つてえのは、その、女氣のある方を指すんですか」

夏目漱石『彼岸過迄』

引用：『漱石全集第五巻』昭和41年、岩波書店 p.26

様々な話を聞きたいとお酒に誘ったが、なまじい酒になった。飲ませるべきではなかった酒である。酔って愚痴などを聞く羽目になり、有意義な経歴談を聞くことができなかった。お酒を切り上げたが、もっと話しを聞きたかったのである。そして、物足りなさを感じ、お茶を勧めている。お茶が酔いを醒ます効果があること、会話を続けるためのお茶であることがわかる。森本の描写からは、熱いお茶を息を吹いて冷まし、大きめの湯呑のお茶を飲み、酔いを醒ましたかのように話しを再開した様子がわかる。

資料No.70

田口の門前には車が二台待つてゐた。玄関にも靴と下駄が一足宛あつた。彼は此間と違つて日本間の方へ案内された。其所は十畳程の廣い座敷で、長い床《とこ》に大きな懸物が二幅掛かつてゐた。湯呑の様な深い茶碗に、書生が番茶を一杯汲んで出した。桐を刳《く》つた手焙も同じ書生の手で運ばれた。

夏目漱石『彼岸過迄』

引用：『漱石全集第五巻』昭和41年、岩波書店p.140

「手焙り」は小さな火鉢で、冬の季語である。訪問者に対して儀礼茶がだされている。寒い季節であること、そして車が二台との描写から先客が少なくとも二組あることがわかる。長時間待たせることになるので、一杯汲んでと表現されている。一杯は茶碗に満ちるほどの量である。

資料No.71

彼は矢来の坂を下りながら変な男が有つたものだといふ観念を数度繰り返した。田口が唯でさへ会ひ悪いと云つたのは、斯んな所を指すのではなからうかとも考へた。其日は家へ帰つても、氣分が中止の姿勢に余儀なく据ゑ付けられた儘、何の方角へも進行出来ないのが苦痛になつた。久し振に須永の家へでも行つて、此間からの顛末を茶話に半日を暮らさうかと考へたが、何うせ行くなら、今の仕事に一段落付けて、自分にも見當の立つた筋を吹聴するのでなくては話しばいもしないので、遂に行かず仕舞にしてしまつた。

夏目漱石『彼岸過迄』
引用：『漱石全集第五巻』昭和41年、岩波書店 p.159

茶話とはお茶を飲みながら話す話の内容のことである。田口への訪問での顛末から気分の晴れない様子を須永の家で話すことによって気持ちを切り替えようと考えた。

資料No.72

御仙は二人の口論を聞かない人の様に、用事を済ますとすぐ待合所の方へ歩いて行つた。其所へ腰を掛けてから、立つてゐる千代子を手招きした。千代子はすぐ叔母の傍へ来て座に着いた。須永も続いて這入つて来た。さうして二人の向側にある涼み台見た様なものゝ上に腰を掛けた。清も御掛けと云つて自分の席を割いて遣つた。

四人が茶を呑んで待ち合はしてゐる間に、骨上の連中が二三組見えた。

夏目漱石『彼岸過迄』
引用：『漱石全集第五巻』昭和41年、岩波書店 p.196

火葬場での出来事である。骨上までの待ち時間に四人がお茶を飲んでいる。「四人で」ではなく「四人が」と格助詞に「が」を用いることで他の人がいるであろう空間を想像することができる。また、範囲が限定されることなく、骨上の連中が二三組見えたと待合所を含む斎場の様子を想起させる。

資料No.73

下へ降りるや否や、いきなり風呂場へ行つて、水をざあざあ頭へ掛けた。茶の間の時計を見ると、もう午過なので、それを好い機会《しお》に、其所へ坐はつて飯を片付ける事にした。給仕には例の通り作が出た。僕は二た口三口無言で飯の塊りを頬張つたが、突然彼女に、おい作僕の顔色は何うかあるかいと聞いた。作は吃驚《びつくり》した眼を大きくして、いゝえと答へた。夫で問答が切れると、今度は作の方が何うか遊ばしましたかと尋ねた。「いゝや、大して何うもしない」「急に御暑う御座いますから」僕は黙つて二杯の飯を食ひ終つた。茶を注がして飲み掛けた時、僕は又突然作に、鎌倉などへ行つて混雑《ごたごた》するより宅にゐる方が静で好いねと云つた。作は、でも彼方《あちら》の方が御涼しう御座いませうと云つた。僕はいや却つて東京より暑い位だ、あんな所にゐると氣ばかり焦燥々《いらいら》して不可ないと説明して遣つた。作は御隠居さまはまだ當分彼地《あちら》に御出で御座いますかと尋ねた。僕はもう帰るだらうと答へた。

夏目漱石『彼岸過迄』

引用：『漱石全集第五巻』昭和41年、岩波書店 p.276

「茶を（下女の作）に注がして」は、使役である。お茶を入れてもらうことよりも、作を近くに来させている。僕は又突然作に、と発話が続く。つまり、話しをしたかったのではないかと思われる。お茶を口実に話をしている。

資料№74

夫からうちへ帰つてくると、宿の亭主が御茶を入れませうと云つてやつて来る。御茶を入れると云ふから御馳走をするのかと思ふと、おれの茶を遠慮なく入れて自分が飲むのだ。此様子では留守中も勝手に御茶を入れませうを一人で履行して居るかも知れない。亭主が云ふには手前は書画骨董がすきで、とうとうこんな商売を内々で始める様になりました。あなたも御見受申す所大分御風流で居らつしやるらしい。ちと道楽に御始めなすつては如何ですと、飛んでもない勧誘をやる。

夏目漱石『坊つちやん』

引用：『漱石全集第二巻』昭和41年、岩波書店 p.264

お茶を入れましょうというのは口実で、骨董などを買わそうとすることが目的である。そして、お茶をいれるといい、相手のお茶を勝手に入れて自分が飲んでいる、留守中も勝手に人のお茶を入れて飲んでいるかもしれないとおもわせている描写からは、厚かましく品がない様子である。どこか非常識な人間性が伺える。お茶に人物の人柄を表しているといえる。

資料No.75

（略）おれはそんな呑氣な隠居のやる様な事は嫌いだと云つたら、亭主はへ、、、と笑ひながら、いえ始めから好きなものは、どなたも御座いませんが、一旦此道に這入ると中々出られませんと一人で茶を注いで妙な手付きをして飲んで居る。實はゆふべ茶を買つてくれと頼んで置いたのだが、こんな苦い濃い茶はいやだ。一杯飲むと胃に答へる様な氣がする。今度からもつと苦くないのを買つてくれと云つたら、かしこまりましたと又一杯しぼつて飲んだ。人の茶だと思つて無暗に飲む奴だ。主人が引き下がつてから、あしたの下読みをしてすぐ寝て仕舞つた。

夏目漱石『坊つちゃん』

引用：『漱石全集第二巻』昭和41年、岩波書店 p.264

へへへへと笑いながら飲んでいるとのことから、「笑う」と「飲む」の二つの動作が同時に行われている。そして、接続助詞「ながら」を挟み前述の動詞が飲んでいるときの心理を状態的・修飾語的に示している。つまり、心理作用は、へへへへとごまかすような笑いであることから、だめだと思いつつお茶を飲むことで本心を隠し、断られたにもかかわらず持論を述べている。

主人公はお茶を普段から飲みなれている。お茶に精通し好みもある。亭主は、他人のお茶を遠慮することなく飲んでいる。お茶が好きだからではなく、他人の所有物であるお茶であるからいただかなくては損のような風に考えているように感じられる。お茶の扱いに人となりがあらわされている。

資料No.76

それから毎日々々學校へ出ては規則通り働く、毎日々々帰つて来ると主人が御茶を入れませうと出てくる。一週間許したら學校の様子も一と通りは飲み込めたし、宿の夫婦の人物も大概は分つた。（略）學校はそれでいゝのだが下宿の方はさうはいかなかつた。亭主が茶を飲みに来る丈なら我慢もするが、色々な者を持つてくる。

夏目漱石『坊つちゃん』

引用：『漱石全集第二巻』昭和41年、岩波書店 p.265

主人がお茶を入れましょうと出てくるのは、お茶を口実に別の目的があるからである。主人公は、亭主がお茶を入れましょうと自分のお茶を飲まれることは我慢できるが、色々な者（骨董を売りつけに来る）を持ってくることは我慢ならないと感じている。この場合のお茶を入れましょうということはそれ自体に意味はないように思われる。交話的機能を有し、日常の挨拶のような役割をしている。

資料No.77

どうも狭い土地に住んでるとうるさいものだ。まだある。温泉は三階の新築で上等は浴衣をかして、流しをつけて八銭で済む。其上に女が天目へ茶を載せて出す。おれはいつでも上等へ這入つた。すると四十圓の月給で毎日上等へ這入るのは贅沢だと云ひ出した。

夏目漱石『坊つちゃん』
引用：『漱石全集第二巻』昭和41年、岩波書店 p.269

注釈によれば、天目とは「ここでは天目茶碗を載せる『天目台』のこと。天目茶碗は、中国浙江省天目山で製しはじめたすり鉢形のもの。」である。温泉（上等）では湯上りの後にサービスとしてお茶が出されていることがわかる。

資料No.78

こゝの夫婦はいか銀とは違つて、もとが士族だけに双方共上品だ。爺さんが夜になると、変な声を出して謡をうたふには閉口するが、いか銀の様に御茶を入れませうと無暗に出て来ないから大きに楽だ。

夏目漱石『坊つちゃん』
引用：『漱石全集第二巻』昭和41年、岩波書店 p.312

いか銀とは前の下宿先のことである。骨董を売ることを目的にお茶を入れましょうと挨拶に来るようなことがないので心身が安らかでいられる。

資料No.79

昼過には刑事が来た。座敷へ上つて色々見てゐる。桶の中に蝋燭でも立てゝ仕事をしやしないかと云つて、台所の小桶迄検べてゐた。まあ御茶でも御上がんなさいと云つて、日當りの好い茶の間へ坐らせて話をした。

夏目漱石『永日小品「泥棒」』
引用：『漱石全集第八巻』昭和41年、岩波書店p.73

泥棒の被害にあったため刑事が来ている。桶の中に蝋燭でも立てて仕事をするわけがないので、ありえないようなことまで調べていることの例えである。刑事に対して「まぁ、お茶でも御上がんなさい」という言葉は被害者の立場から普通は発せられない。つまり、被害者もあきれるほど熱心に調べているることが察せられる。「日当たりの良い茶の間」とは、穏やかな団欒の空間のことである。そこで、お茶をすすめている。刑事を「坐らせる」と使役表現で描写していることからも、泥棒にあったことの緊迫感は感じられず、一心に調べものをする刑事を落着かせるためのお茶であることがわかる。

資料No.80

明くる日は囲炉裏の縁に乗つたなり、一日唸つてゐた。茶を注いだり、薬罐を取つたりするのが氣味が悪い様であつた。が、夜になると猫の事は自分も妻も丸で忘れて仕舞つた。

夏目漱石『永日小品「猫の墓」』
引用：『漱石全集第八巻』昭和41年、岩波書店 p.91

囲炉裏は家族が集まる場所である。飼い猫は具合が悪く唸っている。猫は暖かい囲炉裏の縁で何か痛みを緩和しようとしていたのかもしれない。家人は囲炉裏でお湯を沸かすための薬缶を扱い、お茶を入れる時にその場に接するため、猫の様子を気味悪く感じていた。夜になると猫は場所を移動していると思われる。それゆえ、目に映ることもなく、唸り声も気にならなくなり、猫の事を忘れてしまうことになったのである。

囲炉裏の縁は、暖かな場所の縁であることから「生」の縁にいると考えた。つまり「死」が近いと意味づけられる。

資料No.81

此の懸物は方一尺程の絹地で、時代の為に煤竹の様な色をしてゐる。暗い座敷へ懸けると、暗澹として何が書いてあるか分らない。老人はこれを王若水の書いた葵だと称してゐる。さうして、月に一二度位宛袋戸棚から出して、桐の箱の塵を拂つて、中のものを丁寧に取り出して、直に三尺の壁へ懸けては、眺めてゐる。成程眺めてゐると、煤けたうちに、古血の様な大きな模様がある。緑青の剥げた迹かと怪しまれる所も微かに残つてゐる。老人は此の模糊たる唐書の古蹟に對つて、生き過ぎたと思ふ位に住み古した世の中を忘れて仕舞ふ。ある時は懸物をじつと見詰めながら、煙草を吹かす。又は御茶を飲む。でなければ只見詰めてゐる。

夏目漱石『永日小品「懸物」』

引用：『漱石全集第八巻』昭和41年、岩波書店 p.115

煤竹の色は赤黒く見える。暗い座敷では見えない。暗い座敷とは、夜になっても灯がともらないようなひと気がない家を象徴していると思われる。妻、母、娘など女性の存在が感じられない。老人が大切に扱っている懸物は妻のようである。唐画を見つめ、心の中で対話している。じっと見つめながら煙草を吹かしたり、お茶を飲む行為は独りの時間であり、自分だけの世界になっている。

資料No.82

二月の初旬に偶然旨い伝手が出来て、老人は此の幅を去る好事家に売つた。老人は直に谷中へ行つて、亡妻の為に立派な石碑を誂へた。さうして其の餘りを郵便貯金にした。それから五日程立つて、常の如く散歩に出たが、いつもよりは二時間程後れて帰つて来た。其の時両手に大きな鉄砲玉の袋を二つ抱へてゐた。売り拂つた懸物が氣にかゝるから、もう一遍見せて貰に行つたら、四畳半の茶座敷にひつそりと懸かつてゐて、其の前には透き徹る様な蝋梅が活けてあつたのださうだ。老人は其處で御茶の御馳走になつたのだといふ。おれが持つてゐるよりも安心かもしれないと老人は倅に云つた。倅はさうかも知れませんと答へた。小供は三日間鉄砲玉ばかり食つてゐた。

夏目漱石『永日小品「懸物」』

引用：『漱石全集第八巻』昭和41年、岩波書店 pp.116－117

幅とは、老人が大切にしていた懸物のことである。売ってから5日程たったころに好事家を訪ねている。売ってからずっと気にかかっていたのではないかと思われる。しかし、もう一度見せてもらいに行ったとき、懸物は四畳半の茶座敷に静かに掛けられていた。四畳半の茶座敷は、お茶を点てていただくところである。来客を通すことも考えられる。集いの場にもなることから人目にも触れるであろう。そして、懸物の前には透き通る様な蝋梅が活けてあった。茶室の誂えであるが、懸物に対する敬意が感じられる。蝋梅は冬に咲く唐梅の花で、丸みを帯びた薄い黄色の花びらの色が優しく可憐。甘い香りが特徴的である。老人はその空間でお茶を御馳走になった。大切にしていた妻の様な存在の懸物が懸けられ、丁寧に整えられた茶室は老人にとってこの上ない空間であったことが察せられる。茶室の設えには非言語のメッセージが込められている。おもてなしのお茶を御馳走になり、主と心の通ったコミュニケーションが交わされていたのではないかと思われる。結果、老人は自分が持っているよりも安心かもしれないと息子に伝えている。

一遍、二月、二つ、二時間、三日間、四畳半、五日程と一から五の数字が入っている。数字によってそれぞれの場面が分けられている。また、初旬から五日経ち、さらに三日が経過したことがわかる。老人の気持ちが言葉になっていく過程が時間とともに表現されている。

資料No.83

> 此小包と前後して、名古屋から茶の罐が私宛で届いた。然し誰が何の為に送つたものか其意味は全く解らなかつた。私は遠慮なく其茶を飲んでしまつた。すると程なく坂越の男から、富士登山の画を返してくれと云つてきた。
>
> 夏目漱石『硝子戸の中』
>
> 引用：『漱石全集第八巻』昭和41年、岩波書店 p.440

小包を開封することなく、お茶との関連に気づかないままお茶を飲んでしまったのである。お茶が何等かの贈答品として扱われていることがわかる。お茶の送り主である「坂越の男」は小包の中身であろう富士山の画を返すよう要求している。お茶を送った理由は、贈答以外の目的があり、その目的が叶わなかったことがわかる。一般に送ったものを返してくれと要求することは失礼な行為にあたる。坂越の男は非常識な人物と思われる。

資料No.84

包みのなかには此畫《ゑ》の外に手紙が一通添へてあつて、それに畫《ゑ》の賛をして呉といふ依頼と、御禮に茶を送るといふ文句が書いてあつた。私は愈驚ろいた。

夏目漱石『硝子戸の中』

引用：『漱石全集第八巻』昭和41年、岩波書店p.441

包みは、畫《ゑ》（富士山）であった。「賛」の依頼とは、漢文の一体。人や事物をほめたたえるもの。多くは四字一句で押韻する。画に題して画面の余白に添え書かれた詩・歌・文・画賛、などである。そのお礼としてお茶が送られていたのであった。見知らぬ人物から、一方的な突然の依頼である。承諾前の一連の行為も不躾であり、受け取った私は包みを後になって開いた時に事情を知り、あきれ驚いている。

このお茶はお礼の品物であったことがわかる。

資料No.85

中入になると、菓子を箱入りの儘茶を売る男が客の間へ配つて歩くのが此席の習慣になつてゐた。箱は浅い長方形のもので、まづ誰でも欲しいと思ふ人の手の届く所に一つと云つた風に都合よく置かれるのである。菓子の数は一箱に十位の割だつたかと思ふが、それを食べたい丈食べて、後から其代價を箱の中に入れるのが無言の規約になつてゐた。私は其頃此習慣を珍しいものゝやうに興がつて眺めてゐたが、今となつて見ると、斯うした鷹揚で呑氣な氣分は、何處の人寄場へ行つても、もう味はう事が出来まいと思ふと、それが又何となく懐しい。

夏目漱石『硝子戸の中』

引用：『漱石全集第八巻』昭和41年、岩波書店 p.497

子どもの頃に寄席（日本橋の瀬戸物町にある伊勢本）に行ったときのことを回想している。中入とは途中でしばらく休憩することであり、その間にお茶が売られる様子が描写されている。明治時代の興行の場にお茶が存在していたことがわかる。また、お茶を売る為にお茶請けも用意されている。日常においで、お菓子とお茶が身近なものであったことが読み取れる。当時、そのお菓子の代金は、後払いの自己申告制のようである。つまり、お客を信用している、正直な人間ばかり、もしくはお菓子がなくなっても問題にしない平和な世の中であったと想像される。そして、その時の雰囲気を「鷹揚で呑気」という表現を用い、鷹が空を悠々と飛び、何も恐れない落ち着いた気分で表している。今は逆の状態であることがわかる。当時を懐かしんでいる。

資料No.86

壁に掛けてあつた小袖を眺めて居た道也はしばらくして、夕飯を済ましながら、「どこぞへ行つたのかい」と聞く。「えゝ」と細君は二字の返事を與へた。道也は黙つて、茶を飲んで居る。末枯《うらが》るゝ秋の時節丈に頗る閑静な問答である。「さう、べんべんと眞田の方を引つ張つとく譯にも行きませず、家主の方もどうかしなければならず、今月の末になると米薪の拂《はらひ》で又心配しなくつちやなりませんから、算段に出掛けたんです」と今度は細君の方から切り出した。

夏目漱石『野分』

引用：『漱石全集第二巻』昭和41年、岩波書店 p.677

奥さんの返事は短いものだった。その返事をもって本来なら場所などを聞くところ、道也は黙ってお茶を飲んでいる。お茶を飲むことで間を作り、自分からそれ以上尋ねようとしないでいるように思われた。

資料No.87

高柳君はひとり敵の中をあるいてゐる。いくら、あるいても矢つ張り一人坊つちである。ぽつりぽつりぽつりと折々降つてくる。初時雨と云ふのだらう。豆腐屋の軒下に豆を絞つた殻が、山の様に桶にもつてある。山の頂がぽくりとかけて四面から烟が出る。風に連れて烟は往来へ靡《なび》く。塩物屋に鮭の切身が、さびた赤色を見せて、並んでいる。隣に、しらす干がかたまつて白く反り返る。

鰹節屋の小僧が一生懸命に土佐節をさゝらで磨いてゐる。ぴかりぴかりと光る。奥に婚礼用の松が眞青に景氣を添へる。葉茶屋では丁稚が抹茶をゆつくりゆつくり臼で挽いてゐる。番頭は往来を眄めながら茶を飲んでゐる。

――「えつ、あぶねえ」と高柳君は突き飛ばされた。

夏目漱石『野分』

引用：『漱石全集第二巻』昭和41年、岩波書店 p.747

敵の中というのは、世間のことである。高柳君があるいている世間の様子である。葉茶屋とは『広辞苑 第七版』によれば「葉茶を売る家。水茶屋・料理茶屋などと区別していう。」と記される。番頭は往来を眄めながらという表現は、鋭い目をしてみつめている様子である。お茶を飲む動作と眄める動作を同時に行っている。番頭の役割から、のんびりお茶を飲むのではなく、注意深く往来をみつめている心理描写である。

資料No.88

高柳君は玄関から客間へ通る。推察の通り先客がゐた。市楽の羽織に、くすんだ縞ものを着て、帯の紋博多丈がいちぢるしく眼立つ。額の狭い頬骨の高い、鈍栗眼《どんくりまなこ》である。高柳君は先生に挨拶を済ました、あとで鈍栗に黙礼をした。

「どうしました。大分遅く来ましたね。何か用でも……」「いゝえ、一寸　─實は御暇乞に上りました」「御暇乞?田舎の中學へでも赴任するんですか」

間《あひ》の襖をあけて、細君が茶を持つて出る。高柳君と御辞儀の交換をして居間へ退く。

「いえ、少し転地しやうかと思ひまして」「それぢや身體でも悪いんですね」

夏目漱石『野分』

引用：『漱石全集第二巻』昭和41年、岩波書店 pp. 816-817

高柳君の訪問に奥さんがお茶を出した。お茶を出すと同時に高柳君とお互いにお辞儀をすることで挨拶を交わしている。儀礼的であるお茶を出すことは挨拶の機会になっている。

資料№89

翌日眼を覚ました時は存外安静であつた。彼は床の中で、風邪はもう癒つたものと考へた。然し愈起きて顔を洗ふ段になると、何時もの冷水摩擦が退儀な位身體が倦怠くなつてきた。勇氣を鼓して食卓に着いて見たが、朝食は少しも旨くなかつた。いつもは規定として三膳食べる所を、其日は一膳で済ました後、梅干を熱い茶の中に入れてふうふう吹いて呑んだ。然し其意味は彼自身にも解らなかつた。此時も細君は健三の傍に坐つて給仕をしてゐたが、別に何にも云はなかつた。彼には其態度がわざと冷淡に構へてゐる技巧の如く見えて多少腹が立つた。彼はことさらな咳を二度も三度もして見せた。夫でも細君は依然として取り合はなかつた。

夏目漱石『道草』

引用：『漱石全集第六巻』昭和41年、岩波書店 pp. 313-314

風邪で体調が悪いことがわかる。梅干しやお茶は古くから薬として扱われ、その効能が知られている。梅干しを熱いお茶に入れて飲む行為は、梅干しとお茶の薬理効果を期待したものと考えるのが自然である。一方で、然し其意味は彼自身にも解らなかったとの描写から、妻に体調が思わしくないことを察してもらい、一言労わりの言葉をかけてもらいたい、気にかけてもらいたいという意思表示が考えられる。

資料No. 90

「いえ何御禮なんぞ御仰られると恐縮します」といつた比田の方は却つて得意であつた。誰が見ても宅へも帰らずに忙がしがつてゐる人の様子とは受取れない程、調子づいて来た。彼は其所にある塩煎餅を取つて矢鱈にぼりぼり噛んだ。さうしてその相間相間には大きな湯呑へ茶を何杯も注ぎ易へて飲んだ。

夏目漱石『道草』

引用：『漱石全集第六巻』昭和41年、岩波書店 p. 367

お茶受けの塩煎餅とお茶が用意されている。お茶以外の飲み物では話の邪魔になる内容の話であったことが考えられる。「矢鱈」は当て字である。鱈の腹部が肥大していることから、大食漢な比田を想起させる。比田は、話が終わったにもかかわらず、節度を欠いた食べ方で塩煎餅を食べ長居をしている。

資料No.91

> 斯んな生活をしてゐる健三が、此同宿の男の眼には左も氣の毒に映つたと見えて、彼は能く健三を午餐に誘ひ出した。銭湯へも案内した。茶の時刻には向ふから呼びに来た。健三が彼から金を借りたのは斯うして彼と大分懇意になつた時の事であつた。
>
> 夏目漱石『道草』
>
> 引用：『漱石全集第六巻』昭和41年、岩波書店 p.459

仕事で海外にいたときの回想である。お茶の時間が習慣であることがわかる。「茶の時刻には」との記述から、助詞「に」で時刻を示し、助詞「は」は、他との区別・取り出しの意味がある。お茶が個別の基準を表している。この国でのお茶は大切なのである。親しい間柄になっていく過程が記されている。お茶の時間を共有することは特別の意味がある。また、文面からいつも相手のほうから呼びに来ていると読み取ることができる。健三はお茶の時間に話相手として求められ、相手にとって楽しい時間となっていることが察せられる。

お金は誰にでも借りられるものではない。

資料No.92

「丸で御話にも何もなりやしない。所で近頃僕の家の近邊で野良犬が遠吠をやり出したんだ。……」「犬の遠吠と婆さんとは何か関係があるのかい。僕には連想さへ浮ばんが」と津田君は如何に得意の心理学でも是は説明が出来悪いと一寸眉を寄せる。余はわざと落ち付き拂つて御茶を一杯と云ふ。相馬焼の茶碗は安くて俗な者である。もとは貧乏士族が内職に焼いたとさへ傳聞して居る。津田君が三十匁の出殻を浪々此安茶碗についでくれた時余は何となく厭な心持がして飲む氣がしなくなつた。茶碗の底を見ると狩野法眼元信流の馬が勢よく跳ねて居る。安いに似合はず活発な馬だと感心はしたが、馬に感心したからと云つて飲みたくない茶を飲む義理もあるまいと思つて茶碗は手に取らなかつた。

「さあ飲み給へ」と津田君が促す。

「此馬は中々勢がいゝ。あの尻尾を振つて鬣《たてがみ》を乱して居る所は野馬だね」と茶を飲まない代りに馬を賞めてやつた。

「冗談ぢやない、婆さんが急に犬になるかと、思ふと、犬が急に馬になるのは烈しい。夫からどうしたんだ」と頻りに後を聞きたがる。茶は飲まんでも差し支へない事となる。

夏目漱石『琴のそら音』
引用：『漱石全集第二巻』昭和41年、岩波書店pp.91-92

津田君が「僕には連想さへ浮かばんが」と説明が出来悪いと一寸眉を寄せる。という描写から、言葉に続き、表情で表している。接続助詞「が」を終助詞の様に用い、後述に述べずに言いさしにしたものである。はっきり言うことを控えて言いさし表現にし、逆説をあらわしている。その返事に満足がいかなかったが、主人公は、あえて相手の返答に何も感じないふりをしている。落ち着いたように振る舞い、お茶を一杯と発話している。「お茶を一杯」といい求めることで、気分転換とその場の会話の流れを変えようとしていると思われる。

安っぽい茶碗に粗末な番茶の出涸らしを注がれ、（津田君に悪気は感じられない）お茶を飲む気持ちがなくなっている。主人公はお茶好きであるか、普段からお茶を飲みなれている人物像が想像される。自ら求めたお茶である。「さあ飲み給え」と促され、茶に注目が置かれている。飲まないわけにはいかないところ、湯呑の見込みの馬の絵について返答し、お茶を飲まずにいる。相手にはお茶をいただいたという意味に変わり、飲まずして相手を納得させている。そして、津田君はその後、「頻りに後を聞きたがる。」と記されていることからコミュニケーションが活発になっていることがわかる。主人公の思うような方向に会話の流れに変化が見られた。

「飲みたくない茶を飲む義理もあるまい」とは聞いてもしかたがない話し（くだらない見解）を聞く

義理もあるまいという意味になる。

「相馬焼の茶碗」は津田君を表している。

資料No.93

「よく注意し給え」と二句目は低い声で云つた。初めの大きな声に反して此低い声が耳の底をつき抜けて頭の中へしんと浸み込んだ様な氣持がする。何故だか分らない。細い針は根迄這入る、低くても透る声は骨に答へるのであらう。碧瑠璃の大空に瞳程な黒き点をはたと打たれた様な心持ちである。消えて失せるか、溶けて流れるか、武庫山卸しにならぬとも限らぬ。此瞳程な点の運命は是から津田君の説明で決せられるのである。余は覚えず相馬焼の茶碗を取り上げて冷たき茶を一時にぐつと飲み干した。

「注意せんといかんよ」と津田君は再び同じ事を同じ調子で繰り返す。瞳程な点が一段の黒味を増す。然し流れるとも廣がるとも片付かず。

夏目漱石『琴のそら音』

引用：『漱石全集第二巻』昭和41年、岩波書店 pp.93-94

雲一つなく青く澄んだ大空の中の瞳程の黒点は、到底わかるはずのないところであり、そこを突かれたような心持ちとは、心の中にあることを相手のことばによって意味づけられようとしている主人公の心像をあらわしている。飲まずに置いていたお茶を一時に飲み干したとあるのは、お茶を飲むことで話を聴く覚悟、またはその話の内容によって意味づけられることの覚悟をしたように思われた。お茶で気持ちを切り替えている。

資料No.94

「斯んな所に這入つてゐたのか」と思ひながら、自分は茶を呑んで暫く座敷を見廻して居たが、やがて硯を借りて、重吉の所へやる手紙を書いた。

夏目漱石『手紙』

引用：『漱石全集第八巻』昭和41年、岩波書店 p.391

「こんな所に入っていたのか」という表現からは意外性のある場所であったことがわかる。そして、その場所は予想外な程度であることが強調されている。お茶を飲みながら部屋の中を観察している様子である。この場合のお茶は、部屋に通された後、一息つく為のお茶と考えられる。同時に予想外な状況に対してお茶を飲むことで冷静になれる。

資料No.95

何だか可笑しいといふ氣分も幾分か混じつてゐた。けれども惣體に「あの野郎」といふ心持の方が勝つてゐた。其あの野郎として重吉を眺めると、宿を易へて何時迄も知らせなかつたり、散々人を待たせて、氣の毒さうな顔もしなかつたり、漸と這入つて来たかと思ふと、一面アルコールに彩どられてゐたり、凡て不都合だらけである。が、平生何の角度に見ても尋常一式な彼男が、何時の間に女から手紙などを貰つて済まし返つてゐるのだらうと考へると、當り前過ぎる不断の重吉と、色男として別に通用する特製の重吉との矛盾が頗る滑稽に見えた。従つて自分は何方の感じで重吉に対して好いかわからなつた。けれども何方かに極めて、これを根本調として会見しなければならないと云ふ事に氣が付いた。自分は食後の茶を飲んで楊枝を使ひながら、此處へ重吉が来たらどう取扱つたものだらうと考へた。

夏目漱石『手紙』

引用：『漱石全集第八巻』昭和41年、岩波書店pp. 396－397

食後のお茶を飲んでいる。しかし、重吉に対する取扱をどうすべきかを考えている最中でもある。重吉に対する滑稽な気持ちとそれを上回る憤りとが混在している。食後にお茶を飲み、楊枝でリズムを整えている。つまり、考えることに集中するような行為とも見受けられる。お茶を飲むことで感情を乱されることなく平常心が保たれているよう作用しているとも考えられる。

資料№96

この卓や寝台の置いてある診察室は、南向きの、一番広い間で、花房の父が大きい雛壇のような台を据えて、盆栽を並べて置くのは、この室の前の庭であった。病人を見て疲れると、この髯の長い翁は、目を棚の上の盆栽に移して、ひそかに自ら娯しむのであった。

　待合にしてある次の間にはいくら病人が溜まっていても、翁は小さい煙管で雲井を吹かしながら、ゆっくり盆栽を眺めていた。

　午前に一度、午後に一度は、きまって三十分ばかり休む。その時は待合の病人の中を通り抜けて、北向きの小部屋にはいって、煎茶を飲む。中年のころ、石州流の茶をしていたのが、晩年に国を去って東京に出たころから碾茶を止めて、煎茶を飲むことにした。盆栽と煎茶とが翁の道楽であった。

森鴎外『カズイスチカ』

引用：『定本限定版 現代日本文学全集12 森鴎外（1）』昭和42年、筑摩書房 p.113

　診察室の南向き、一番広い間に対して、待合を通り北向きの小部屋がある。一日の大半を過ごす場所であり、診察ではいろいろな患者と接することからも明るい南向きの広い部屋が仕事場になると思われる。医者は人の生死に向かい合う職業である。対して、盆栽は将来を考えながら植栽し育てながら理想の形に整えていく楽しみがある、生の象徴であるように感じた。「盆栽と煎茶とが」の「と」は並列であり、疲れると盆栽を見てひそかに娯しむことから、盆栽と煎茶は翁にとって「癒し」である。格助詞「が」で強調され、特にそれ以外の道楽がないことが事実だとわかる。「ひそかに」とは、患者に気づかれないようにとの配慮、身近な家族にしか察することができないほど自然な様子をあらわしている。待合は、仕事場から小部屋に行く通路である。つまり間をおいているのである。煙管を吹かすという行為は、緊張をほぐすためでもあり、誰にも話しかけられないようにするためとも考えられる。煎茶を飲む行為は休憩のため、気分転換や心をやすめ「無」にするのである。自分との対話による精神統一であると思われる。通路から北向きの小部屋に入ることで異空間への移動を行い、動から静へ気持ちを切り替えている。

石州流は武家茶道であり、抹茶を点てていただく。一方、煎茶は文人墨客が嗜み、家庭では日常の茶として親しまれている。煎茶は簡単に飲め、そこに精神性を求めることは可能である。空腹時にも気軽に飲用できる。抹茶を午前と午後の休憩時に飲むことは現実的でないようにも思われた。武家茶道から煎茶への切り替えは、国を去り東京にでてきた頃からという変化をふまえ、環境の変化、翁の心の変化、時代の変化と読み取ることができる。花や植木は生命を身近に感じる存在といえよう。「盆栽と煎茶とが翁の道楽」は、翁にとっての現存在である。これらは、非日常であり、医者としての日常の中における平穏であると思われる。そして、その時間が不動心、共感性のある人柄の土壌になっていると考えた。

資料№97

花房が大学にいるころも、官立病院に勤めるようになってからも、休日に帰って来ると、まずこの三畳で煎茶を飲ませられる。当時八犬伝に読み耽っていた花房は、これをお父さんの「三茶の礼」と名づけていた。

翁が特に愛していた、蝦蟇出という朱泥の急須がある。経二寸もあろうかと思われる、小さい急須の代赭色の膚にPemphigusという水泡のような、大小種々の疣が出来ている。多分焼く時に出来損ねたのであろう。この蝦蟇出の急須に絹糸の切屑のように細かくよじれた、暗緑色の宇治茶を入れて、それに冷ました湯を注いで、しばらく待っていて、茶碗に滴らす。茶碗の底には五立法サンチメエトルぐらいの濃い帯緑黄色の汁が落ちている。花房はそれを舐めさせられるのである。甘みは微かで、渋みの勝ったこの茶をも、花房は翁の微笑とともに味わって、それを埋め合わせにしていた。

ある日こういう対坐の時、花房が云った。

「お父さん。わたくしも大分理屈だけは覚えました。少しお手伝いをしましょうか。」

「そうじゃろう。理屈はわしよりえらいに違いない。むずかしい病人があったら、見てもらおう。」

この話をしてから、花房は病人をちょいちょい見るようになったのであった。そして翁の満足を贏《か》ち得ることも折折あった。

森鷗外『カズイスチカ』

引用：『定本限定版 現代日本文学全集12 森鷗外（1）』昭和42年、筑摩書房 p.114

三畳の部屋で二人でお茶を飲む行為は、非常に近い距離で時間の共有である。親密度が増すことにも繫がっている。さらに、気に入った茶器を用いてお茶をいれることは、父親の大切な息子に対する愛情表現である。父に医者として認められたい気持ちがあり、「三茶の礼」としゃれを名づけながらも父親との時間に喜びを感じている。

2寸ほどの急須と茶の描写、冷ました湯、滴らすという表現からは、宇治茶の中でも種類は手揉みの玉露であることが想像される。玉露の嗜み方として、少量を味わって飲むため「舐めさせられる」となり、父親から一方的に準備されていることから「飲ませられる」「舐めさせられる」と使役動詞によって立場と気持ちの一端を表現している。「茶をも」は、苦いお茶であってもと換言できる。つまり、父親の微笑みは喜びでありその時間は尊いのである。苦みの勝ったお茶を黙っていただくことも非言語コミュニケーションである。相手の喜ぶ顔を見て嬉しいという気持ちは他者理解であり、共感性であると思われる。父親についても、微笑みは心地よい時の表現であり、息子との時間に満足していると解釈できる。双方の非言語コミュニケーションがあらわれている。対坐という言葉から、向かい合ってお茶を飲んいる場面が想像できる。父親が用意した場所で、父親主体のお茶に従っている息子は、次の行動として願い事や提案を持ち出しやすい状況にあるといえるのではないだろうか。息子からはじまった会話では、疑問文で提案を示している。疑問文は相手とのコミュニケーションのきっかけの一つといえる。お茶を媒介としたコミュニケーションがはじまり活発になっているように見受けられる。父親は、「そうじゃろう」という言葉で同意し、息子の提案を受け入れた。

資料№98

翁は病人を見ている間は、全幅の精神をもって病人を見ている。そしてその病人が軽かろうが重かろうが、鼻風だろうが必死の病だろうが、同じ態度でこれに対している。盆栽を翫んでいる時もその通りである。茶を啜っている時もその通りである。

森鴎外『カズイスチカ』

引用：『定本限定版 現代日本文学全集12 森鴎外（1）』昭和42年、筑摩書房 pp.114-115

翁は一人でお茶を飲んでいるときも全幅の精神で対している。

資料№99

私たちはただいつとはなしに隙をもれてくる薫物のかおりによってそこに石のごとくにしずまりかえった人のいることを知るばかりであった。どうかすると老僧は茶がほしいときに蜩の鳴くような音のする鈴をならすことがあった。それでもききつける者がいなければ鉢の子のように茶わんを手にうけとことこと橋をわたって自分で茶をいれてゆく。（略）

私はいつしか子供心に老僧を敬う念をおこしどうかしてこの人にすがりたいと思いはじめた。（略）

引用：中勘助『銀の匙』1935年、岩波書店 pp.180-181

かすかな生活感が薫物のかおりを通して知ることができるが、人の気配が感じられないほどに老僧は周囲の空気と同化しているようである。蜩の鳴き声は、秋の夕暮れに聞かれることが多い。夏が終わり太陽の沈む時刻が日に日に早まり、どこか儚げである。「はかなくなる」という言葉は、慣用では伊勢物語「身のはかなくもなりにけるかな」から死ぬことを解く。そして、文中の「からから」という表現には威圧感がない。つまり、鈴の音色を表す蜩の鳴き声は老僧を表象していると思われる。さらに、太陽は主人公にとっての老僧でもあると考えた。

鉢の子とは、托鉢の僧が持ち歩く鉄鉢であり、一般的に修行僧を思わせる。行動の記述が老僧の行いとは想像しがたい描写になっている。老僧は雑念がなく、周りに気を取られない様子が伺える。卓越した老僧が、誰にも気づかれずとも不平を漏らさず、自ら修行僧のようにお茶を入れに行く謙虚な姿は、まだ子どもである主人公の私にも、地位以外のその徳のある人柄や尊い行いも惹かれるものであることが察せられる。主人公は自らの気持ちを「いつしか子供心に老僧を敬う念をおこしどうかしてこの人にすがりたいと思いはじめた」と述べている。同世代の子どもや学校の先生にも理解してもらえない心の内を老僧と接することで解放されたく、また自分と対話しようと考えたのだろうと感じた。ここではまだ老僧が主人公に対しても何も気づかない様子にも見えるが、老僧は主人公の存在にも心の声にも気づいていたに違いない。

資料No.100

ある日のこと、貞ちゃんの留守にひとりで遊んでたときに離れでれいの蜩の鈴が鳴った。が、折あしく茶の間には誰もいなかったので私は思いきって離れへいった。(略)
私はそこまでゆきはしたものの急に気おくれがしてためらっていた。耳の遠い老僧は足音が聞こえなかったかまたからからと鈴を鳴らした。私はようやく襖をあけて手をついた。彼方はなにげなく大きな茶托をさしだしたがふと顔をみて「おお、これはこれは」といった。私は瞼をふるわせながらお辞儀をして茶托をうけとり、はずかしいような、嬉しいような、大願成就したような気もちで茶の間へきて見おぼえたとおりそこにある番茶をいれてもっていった。橋が朽ちてゆらゆらするのでともすればこぼれそうになる。頭をさげて出したらまた「おお、これはこれは」といった。私は静かに襖をたてほっとして橋をわたった。それからはときどき家の人のかわりにゆくことがあったが、私はいつも　どうかして話をする機会を得たい　とそればかり願っていながら、前へでるとなにひとついい得ずに黙って茶椀をうけとり、黙って茶碗をさしだして帰ってくる。さきは梟かなぞのように　おおこれは　をくりかえすばかりでちっとも言葉をかけない。(略)ところがある時またからからと鈴がなって、いつものとおり茶椀をおいて帰ろうとしたら意外にも後ろから呼びとめて
「絵をかいてあげように紙を買っておいで」

といった。私は狐につままれた気もちで唐紙を買ってきて老僧のまえに出した。老僧は根の生えたように坐っている脇息のそばから立って日あたりのいい隣の間へ私をつれていった。部屋は悉く渋色に燻ぼって　椿寿　と書いた小さい額がかかっている。いつになく間ぢかく坐らされて汗ぐっしょりになりながら今までこの人を死ぬまでも石仏みたいにして鈴を鳴らす人ときめてた私はその一挙一動をなにか珍しいことのようにじっと眺めていた。老僧は大きな硯をもちだして墨をすらせ、筆をとってさらさらと糸瓜の絵をかいた。一枚の葉と、一本の蔓と、一つの糸瓜と。そのうえへ　世のなかをなんのへちまと思えどもぶらりとしてはくらされもせず　とかき急須みたいな書判をしてとみこうみしてたが、不意にからからと笑って

「さあ、これをあげるであちらへもっておいで」

といって硯を棚にのせ、筆を洗い、さっさと金剛座へ帰ってもとの石仏になってしまった。私は木から落ちた猿のようにすごすごと糸瓜の絵をもって家へ帰った。

引用：中勘助『銀の匙』１９３５年、岩波書店 pp. 181 - 183

主人公がためらいを感じたときに、老僧は二度目の鈴を鳴らしている。聞こえなかったのかとあり、子供時代を回想しているためそう感じたのだろうと想像されるが、老僧は足音に気づいていたと思われる。主人公がためらいを感じ取っていたが故に老僧の方から目に見えない扉を開き、背中を押すべく、鈴の音で引き寄せたのだと感じた。お茶を媒介として老僧から主人公を導いていると思われた。

老僧も主人公と会う機会をもちたいと考えていたことがわかる。それは単にお茶をいれてもらうことではなく、なぜなら主人公の心を解くことができるからであり、相手が自分に対する尊敬の念やすがりたい気持ちのうちがわかっていたからである。

「おお、これはこれは」は、感嘆詞で、「これは」を重ねることで強調している。続く言葉は「よくきてくれた」や「ありがとう」と連想できる。頭をさげてお茶を出した後に続く言葉は、「ありがとう」と感謝の言葉が適当である。

描写にみられるように、主人公は老僧との縁ができ大願成就したのである。

梟かなぞと老僧を表現しているのは、梟が夜行性で日中は身動きせずじっとしている姿からとも想像できるが、他にも夜行性の動物はいる。梟は知恵の象徴としても知られている。『明鏡国語辞典 第二版』によると、知恵は、「①物事の筋道立てて考える心の働き。物事の道理を正しく判断し、適切に処理する能力。②仏教で、煩悩を消滅させ、真理を悟る精神の働き。」とある。これらのことからも、老僧に対する尊敬のあらわれと知恵を梟が象徴として意味づけられていることがわかる。

後ろから呼びとめてとあるのは、主人公の後ろ姿に老僧は自身の歩む姿を重ねたのであると感じられる。後ろ姿は去り行く姿であり、年齢から考えても先があまり長くないと察していたため、老僧はいつもお茶を運んでくれる主人公に対して、心の交流がこの先ずっと叶わないことを予期し、自分がいなくなったあとも残るものを渡したと思われる。

日あたりのいい隣の部屋の様子からは、渋色にくすぼってとあり、西日が差している情景が想像される。渋色は柿渋のような黄色と茶色が混ざったような色であることが想像されるとともに、見る人の感覚により異なる。自然の色で定まった一色で表すことが難しい。これは別世界、または別世界と現実の間を表しているように感じた。二人だけが共有している空間である。「いつになく間ぢか」身体距離が示す非言語コミュニケーションの一つである。お互いの精神的な絆がすでに近くなっていることが読み取られる。また、汗ぐっしょりも非言語コミュニケーションの現れであり、身体動作から生まれる緊張の度合いが強いことがわかる。

椿寿は、注釈によれば『荘子』「上古大椿という者あり、八千歳を以て春と為し、八千歳を秋と為す」から長生きすること。長寿を意味している。石仏になる日が近いことを暗示しているのではないだろうか。

大きな硯は、老僧が立派な僧であることを物語っていると言える。

「さらさら」というオノマトペは、石仏のようないつもの老僧とは対照的な様子が浮かぶ。流れるように描かれた一筆書きが想像できる。へちまの絵とともに書かれた言葉は、『一休問答歌』中の問答歌の一つ「世のなかをなんのへちまと思えどもぶらりとしてはくらされもせず」である。主人公に辛いときは常に自問自答し考えるように問答歌を引用したと思われる。「へちま」はつまらないもののたとえである。老僧は自身が石仏となった後も主人公に伝えることができるもの、コミュニケーションが継承されるものを感謝の気持ちとともに与えたと理解した。

不意にからからと笑った老僧の声は、お茶を頼むときの鈴の音の描写と同じ蜩の鳴き声と同じである。このことからも老僧を表し、近い将来の出来事を暗示していること読み取ることができる。

また、笑って「さあ、これをあげるであちらへもっておいで」と主人公とのコミュニケーションが深まっていることがわかる。言葉にあらわされた今までにないお互いの距離の証である。

山田　貴子（やまだ たかこ）

武庫川女子大学非常勤講師。
1968年生まれ。
広島大学大学院文学研究科博士課程前期修了。
陽光学院外国語学部（中国福建省）非常勤講師、他。
2023年より現職。

お茶とコミュニケーション

2024年1月16日　第1刷発行
著　者　山田貴子
発行人　大杉　剛
発行所　株式会社 風詠社
〒553-0001 大阪市福島区海老江 5-2-2
大拓ビル5-7階
TEL 06（6136）8657 https://fueisha.com/
発売元　株式会社 星雲社
（共同出版社・流通責任出版社）
〒112-0005 東京都文京区水道 1-3-30
TEL 03（3868）3275
印刷・製本　小野高速印刷株式会社

ISBN978-4-434-33286-9 C0030